Le théâtre
à travers les âges

À mon père, acteur parmi les anges.
M. W.

Conception graphique : Atelier du Père Castor
et Frédérique Deviller
Mise en page : Bruce Pleiser

Imprimé en France — ISBN : 2-08161681-5 — ISSN : 1275-6008

Le théâtre
à travers les âges

MAGALI WIÉNER

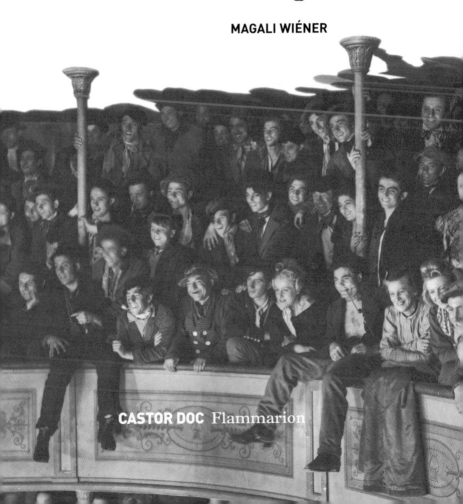

CASTOR DOC Flammarion

SOMMAIRE

1

L'INVENTION DU THÉÂTRE

Le théâtre de la Grèce antique (V^e et VIe siècles avant J.-C.)

Des gradins de bois au pied de l'Acropole

L'Acropole est un plateau rocheux qui domine Athènes. Ce lieu privilégié devint le centre religieux de la ville: on y bâtit de magnifiques temples dont le Parthénon.

Réunis en une foule joyeuse, les habitants de la cité se pressent au pied de l'Acropole. Tous se rendent au théâtre et viennent s'installer sur des gradins de bois. Aucune place n'est réservée, seuls les prêtres et les hauts magistrats ont le privilège d'occuper les larges sièges de pierre installés au premier rang.

Le théâtre grec est ainsi construit qu'il permet à chaque spectateur de profiter agréablement du spectacle : les gradins en plein air qui épousent les flancs de la colline sont disposés en fer à che-

Le théâtre de Delphes.

val autour de la scène ! D'ailleurs le mot grec *theatron* signifie « le lieu d'où l'on regarde ».

Frapper l'esprit des spectateurs

Les spectateurs peuvent profiter de la beauté du paysage car la scène n'est pas fermée. Un panneau de bois matérialise la façade du palais. On cherche avant tout à frapper l'imagination du spectateur : les dieux sont dans les airs (sur un balcon ou descendant d'une plate-forme) et les morts sortent des enfers (grâce à des trappes dissimulées dans le plancher de l'estrade). Ce n'est pas encore le règne des effets spéciaux !

Plus tard, on construisit des théâtres de pierre, le premier date de 386 av. J.-C., c'est le théâtre de Dionysos. Ces théâtres peuvent accueillir entre 30 000 et 80 000 spectateurs.

Deux fois par an

Le théâtre est un divertissement très apprécié. On s'y rend deux fois par an seulement, lors des fêtes religieuses en l'honneur de Dionysos. Au printemps, ce sont les *Grandes Dionysies* (pour la première fois à Athènes en 534 av. J.-C.), et en décembre ce sont les *Lénéennes*. Les festivités durent sept jours. On boit (on célèbre le dieu de la vigne) et on mange dans le théâtre, pour ne rien manquer. Des gardes veillent au silence pour un bon déroulement des spectacles.

Dionysos est le dieu de l'ivresse et du théâtre, né de la cuisse de Zeus (Jupiter pour les Romains).

Une organisation très précise

- **1er jour** : procession avec la statue de Dionysos.
- **2e jour** : on rend hommage au dieu et on présente les concurrents.
- **3e jour** : le concours commence avec le dithyrambe qui oppose dix chœurs d'enfants à dix chœurs d'hommes.
- **4e jour** : concours de comédie (cinq auteurs).
- **les trois derniers jours** sont consacrés à la tragédie (trois auteurs).

Danse autour de Dionysos (peinture de vase).

Plusieurs pièces à la suite

Les spectateurs connaissent seulement une semaine à l'avance le programme composé de pièces inédites : il est interdit de rejouer la même pièce d'un concours à l'autre. Les quatre pièces que doit écrire chaque auteur participant sont jouées à la suite. Cela dure au moins cinq heures !

La cérémonie d'ouverture

Le premier jour, tout le monde prend part aux rituels d'ouverture. Un cortège d'hommes maquillés ou barbouillés de terre, vêtus de feuillages ou portant des peaux de chèvre, se dirige gaiement jusqu'au temple dédié à Dionysos. De là, ils transportent la statue en bois du dieu au cœur de la ville. La nuit venue, à la lueur des torches, la statue est déposée sur l'autel, situé au centre de la scène du théâtre. Les acteurs et les spectateurs seront placés sous la protection de Dionysos durant toutes les festivités.

Des personnages grotesques

Pendant la procession, les rires et les moqueries vont bon train ! Les hommes s'interpellent ou apostrophent la foule dans un langage grossier, voire obscène. Ils imitent les personnes en vue du moment (hommes politiques, écrivains...), en déformant leur visage et leur voix. La comédie serait née de ces bouffonneries !

Les Grecs aiment rire aux éclats en voyant des farces, des situations cocasses, et des personnages vêtus de déguisements grotesques. Les personnages de comédie arborent souvent un énorme

L'auteur écrit trois tragédies et un drame satyrique qui tient à la fois de la tragédie et de la comédie, car il mêle héroïsme et bouffonnerie. Face aux personnages empruntés à la tragédie (héros plein de courage et de vaillance), des satyres (mi-hommes mi-boucs) ou des monstres (le Sphinx, le Cyclope) dansent et s'amusent. Cette pièce conclut la tragédie sur une note de gaieté, rappelant l'exubérance de la vie.

ventre sur des jambes courtes. Pour se grossir, ils enfilent des collants rembourrés qui couvrent les bras et les jambes.

Pas de femmes mais un chœur

Les femmes n'ayant pas le droit d'être actrices, les rôles féminins sont joués par des hommes qui provoquent l'hilarité générale dès leur entrée en scène. Il faut les imaginer avec des faux seins coincés sous leur tunique et un masque d'écorces ou de chiffons peints, représentant des visages exagérément déformés.

Pour marquer le passage d'une scène à l'autre, pas de rideau mais un chœur composé de quinze citoyens. Centre dynamique de la pièce, il la rythme

???

UN GRAND AUTEUR DE COMÉDIE

L'auteur de comédie que nous connaissons encore aujourd'hui est Aristophane (445-385 av. J.-C.).

Aristophane remporte le deuxième prix à dix-neuf ans. Pour faire rire, il s'inspire de l'actualité. Sa cible préférée: les hommes politiques, les philosophes (dont Socrate, le grand philosophe de l'époque) ou ses confrères (Eschyle, Sophocle et Euripide). Il fait rire, mais ses farces ne l'empêchent pas de s'opposer à la guerre. 11 pièces sur 42 nous sont parvenues, parmi lesquelles : *Les Guêpes, La Paix, Les Oiseaux, Les Grenouilles* et *L'Assemblée des femmes.*

en répondant aux acteurs qui s'expriment par des danses et des chants.

La tragédie ou « le chant du bouc »

À l'esprit enjoué et grotesque des comédies succède le sérieux de la tragédie. Ce mot grec ne désigne pas un grave accident mais « le chant du bouc ». L'origine du nom reste très énigmatique : il s'agit peut-être du bouc sacrifié au début de la représentation, ou bien du bouc offert en récompense au vainqueur du concours dramatique.

Des thèmes connus de tous

L'auteur tragique puise son inspiration dans des histoires connues de tous. Il aime les grandes figures de *L'Iliade* et *L'Odyssée* (Achille, Ulysse et Hector) ou les héros de la mythologie comme Hercule, Thésée ou Prométhée. Il s'intéresse souvent à une malédiction qui détruit une famille entière (comme le drame d'Œdipe, qui tue son père et épouse sa mère, sans le savoir). Les spectateurs, qui ont appris à lire sur les œuvres d'Homère, connaissent parfaitement les intrigues des pièces. Ils aiment voir le mythe revisité. Les variations introduites par l'auteur donnent une nouvelle dimension à une histoire archi-connue. Face à cette illusion de la vie, ils éprouvent à la fois terreur et pitié, fascination et émotion.

L'Iliade et *L'Odyssée* sont deux poèmes d'Homère, l'un raconte la guerre de Troie et l'autre le retour d'Ulysse chez lui après la victoire.

Trois acteurs tragiques

Les Erinyes sont des femmes qui persécutent les hommes ou les femmes qui ont tué un membre de leur famille. Entourées de serpents, elles portent des torches et des fouets. Dans cette tragédie, elles forment le chœur et poursuivent Oreste qui a tué sa mère.

Les acteurs de comédie font rire, alors que les acteurs de tragédie effraient. À la joyeuse troupe comique (une dizaine d'acteurs) s'oppose la grandeur tragique de trois acteurs seulement, ce qui oblige chacun d'eux à jouer plusieurs rôles en changeant de masque et de costume.

Des masques sobres

Les masques tragiques, sobres et douloureux, doivent évoquer la souffrance du personnage ou faire peur. En 458 avant J.-C., lors de la représentation des *Euménides* d'Eschyle, certains spectateurs s'évanouirent, beaucoup d'autres désertèrent le théâtre en catastrophe, les horribles masques des Erinyes les ayant tous terrifiés !

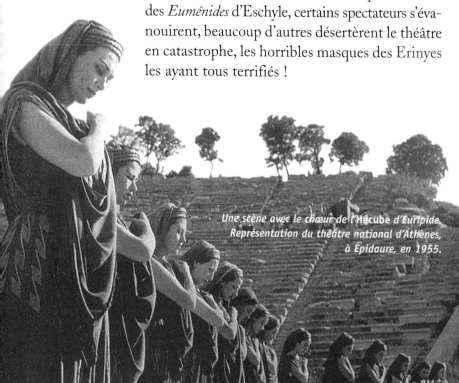

Une scène avec le chœur de l'Hécube d'Euripide. Représentation du théâtre national d'Athènes, à Épidaure, en 1955.

LES GRANDS TRAGÉDIENS GRECS

Seulement trois auteurs de tragédies sont parvenus jusqu'à nous :

→ Eschyle (vers 525–456 av. J.-C.)

Eschyle, auteur et acteur, gagne sa première palme à l'âge de quarante ans. Il remporte treize premiers prix, et mène une carrière glorieuse. Il enrichit le théâtre et les techniques dramatiques en introduisant le deuxième acteur et des vêtements magnifiques et amples pour les acteurs et le chœur.

Sur les 90 pièces qu'il a écrites, nous pouvons encore en lire 7 : *Les Perses, Prométhée enchaîné, L'Orestie* (trilogie qui contient : *Agamemnon, Les Choéphores, les Euménides*), *Les Sept contre Thèbes*.

→ Sophocle (495–405 av. J.-C.)

Sophocle, après son premier prix à l'âge de vingt-huit ans, se mesure souvent à Eschyle. Il finit sa vie en s'occupant des affaires politiques d'Athènes.

Avec 24 premiers prix, il est reconnu grand poète. Son œuvre immense est considérée très tôt comme admirable. Il introduit le troisième acteur, enrichit l'action de nombreuses péripéties et réduit l'importance du chœur.

Sur 123 tragédies, seulement 7 nous sont parvenues. Les plus jouées aujourd'hui sont *Antigone* et *Œdipe-Roi*.

→ Euripide (480–406 av. J.-C.)

Euripide assiste à la chute d'Athènes. Son style nouveau ne plaît pas beaucoup aux Anciens, c'est pourquoi il reçut peu de palmes : seulement 5 premiers prix.

En revanche sa gloire posthume est immense, il est encore joué et copié aujourd'hui. On peut citer *Electre* et *Les Troyennes*.

Une démarche alourdie

Le costume des acteurs tragiques est d'une grande simplicité. Le roi, coiffé d'un diadème ou d'un bonnet oriental (symbole de son pouvoir), brandit son sceptre, et le guerrier fait miroiter ses armes. Pour se donner une carrure plus imposante, tous sont vêtus d'un large manteau matelassé gonflé par des coussins et portent des chaussures à semelles très épaisses, les *cothurnes*. Leur démarche est solennelle et quelque peu alourdie. Ils ont ainsi l'air de colosses, et tous les spectateurs, même ceux installés en haut des gradins, peuvent les voir et les entendre car leur masque fait office de porte-voix.

Un jury tiré au sort

Le jury est constitué de dix citoyens tirés au sort. Ils votent à bulletin secret, en inscrivant le nom du vainqueur sur des tablettes.

Les spectateurs peuvent influencer leur choix en ovationnant leur acteur préféré ou au contraire en sifflant une mauvaise prestation. Certains vont même jusqu'à jeter des pierres !

Statuette d'ivoire d'un acteur jouant une héroïne tragique. On remarque les hauts cothurnes. Paris, Petit Palais.

*Cortège de musiciens
(peinture de vase).*

Une victoire commune

N'importe quel auteur peut concourir, quels que soient son âge et sa nationalité. Un des cinq auteurs comiques puis un des trois auteurs tragiques seront récompensés avec leur chorège, dont on ne peut les dissocier. Le chorège, riche personnage, recrute les quinze membres du chœur, le flûtiste et rémunère aussi le chef du chœur. C'est sa générosité qui permet à l'auteur de faire briller son talent.

Des figues, un bouc ou un salaire

Les récompenses du chorège vainqueur nous font sourire aujourd'hui : un panier de figues et une outre de vin ou bien un bouc quand il s'agit d'une tragédie. L'auteur et l'acteur, eux, reçoivent une récompense moins symbolique et plus utile : ils bénéficient d'un salaire de l'État.

Remise de la palme au vainqueur.

On pense qu'un acteur connu touchait, lors d'une représentation, l'équivalent de six fois le salaire mensuel d'un ouvrier. Six oboles font une drachme, monnaie de la Grèce antique. Un ouvrier qualifié gagnait une drachme par jour.

Fortune et prestige

Pour un acteur ou un auteur, une victoire peut amener la fortune ! Certains sont de vraies vedettes et vendent cher leurs services. Des princes les accueillent somptueusement : Eschyle vit ses dernières années chez le roi de Syracuse et Euripide se retire auprès du roi de Macédoine. On peut même leur confier des missions diplomatiques en les envoyant comme ambassadeurs chez les rois voisins.

L'État organise

L'acteur est pris au sérieux car il met son art au service de l'État. En effet, c'est l'État, qui, par l'intermédiaire de deux magistrats, organise tout. Il prend en charge les frais de mise en scène, paie l'auteur, et les magistrats désignent des chorèges. Certes, une telle charge coûte cher, mais un chorège est honoré d'avoir ces responsabilités car il est au service de Dionysos : sa mission est sacrée. Et il bénéficie, si le spectacle est réussi, d'une grande popularité auprès de tous.

Le théâtre est une entreprise nationale, fortement subventionnée par l'État pour que chacun ait le loisir d'y venir, et puisse réfléchir aux problèmes qui concernent la cité : la guerre, la paix, la justice. Le théâtre a une mission éducative, tout le monde doit donc y assister !

DEUX FAMILLES MAUDITES

➜ Les Labdacides

Laïos et **Jocaste**, roi et reine de Thèbes, ont un fils, **Œdipe**. L'oracle leur prédit que l'enfant tuera son père et épousera sa mère. Effrayés, les parents se débarrassent du bébé, mais celui-ci est recueilli par le roi de Corinthe. Devenu adulte, Œdipe apprend la prophétie et, persuadé que le roi de Corinthe est son vrai père, quitte la ville. Parvenu à Thèbes, il libère la ville d'un monstre et épouse la reine **Jocaste** qui lui donne quatre enfants. Mais la peste s'abat sur Thèbes et l'oracle, à nouveau consulté, fera comprendre à Œdipe la terrible vérité : le vieillard qu'il a tué lors d'une vive discussion était son père, et son épouse est sa mère ! Face à tant d'horreur, **Jocaste** se tue, **Œdipe** se crève les yeux et quitte Thèbes, accompagné par sa fille, **Antigone**.

➜ Les Atrides

Pour que les dieux lui permettent de rejoindre Troie avec son armée, **Agamemnon** accepte de sacrifier sa fille, **Iphigénie**. Après dix ans de guerre, il rentre à Mycènes pour retrouver sa femme, Clytemnestre et ses enfants, **Électre** et **Oreste**. Mais son épouse, qui n'a pas accepté la mort de sa fille, demande à son amant de la venger en assassinant **Agamemnon**. Électre, horrifiée, éloigne son jeune frère de la ville. Une fois adulte, **Oreste** revient à Mycènes et dans un mouvement de rage, tue sa mère et son amant. Poursuivi à travers la Grèce par les **Érinyes**, **Oreste** finit par être purifié de son crime par les dieux.

Un acte de citoyenneté

Se rendre au théâtre n'est pas seulement un moment de détente, c'est aussi un acte de citoyenneté. C'est montrer son attachement à sa cité. Afin que personne ne soit exclu, on donne aux plus pauvres deux oboles pour payer leur place. Tout le monde vient au théâtre : hommes, femmes, vieillards, esclaves et métèques.

Les métèques sont des étrangers qui habitent dans une cité et qui ont un statut particulier.

Des centaines de pièces disparues

L'âge d'or du théâtre grec se situe entre 485 et 330 avant J.-C., il y a donc près de deux mille cinq cents ans ! Une trentaine de tragédies et une dizaine de comédies sont parvenues jusqu'à nous. C'est bien peu comparé au millier de pièces qui ont dû être écrites. De terribles accidents de l'Histoire ont détruit ces trésors irremplaçables.

En 641, l'incendie de la bibliothèque d'Alexandrie détruisit toute l'œuvre originale d'Eschyle. Au XVe siècle, en Italie, le moine Savonarole fit vider les bibliothèques des couvents et brûla les ouvrages qu'il considérait comme païens. Parmi eux de précieuses copies des tragiques grecs, dont un grand nombre de tragédies de Sophocle.

Après le IVe siècle

Vers 330 avant J.-C., le théâtre grec se meurt. En effet, la situation politique d'Athènes ne favorise plus son développement. Les guerres nuisent à la démocratie et aux sentiments religieux qui l'avaient fait naître. Pourtant, on construit de splendides théâtres en pierre, on améliore les machineries et on enrichit les décors. Mais, comme il n'y a pas d'auteurs nouveaux, on rejoue les anciens ! Le théâtre grec appartient déjà à l'Histoire.

ŒDIPE ROI – Sophocle (v. 1478–1515)

Après s'être crevé les yeux, Œdipe s'adresse à ses filles.

Œdipe - Et quand viendra le temps de vous marier, mes filles, quel fiancé osera se charger de tant de flétrissures qui ont marqué vos parents et les miens ? Rien ne manque à ce lourd héritage : votre père a tué son père, il s'est uni à celle qui l'a porté, et vous êtes les fruits de cette union ! Tout cela vous en subirez l'opprobre. Qui voudra vous épouser ? Personne, mes pauvres enfants. Vous vieillirez stériles, seules dans la vie. [...] Souhaitez seulement, où qu'il vous soit permis de vivre, d'être moins malheureuses que celui dont vous tenez la vie.

Créon - C'est assez de larmes. Va, retire-toi dans la maison.

Œdipe - Il faut bien t'obéir, quoi qu'il m'en coûte.

Créon - Tout est bien qui vient en son temps.

Œdipe - Je rentrerai, mais à une condition.

Créon - À quelle condition ? Parle.

Œdipe - C'est que tu m'exileras.

Créon - Cette grâce est dans la main du dieu.

Œdipe - Les dieux ! Je leur suis un objet de répulsion.

Coupe antique : Œdipe et le Sphinx.
Musée du Vatican, Rome.

2

LE RÈGNE DE LA COMÉDIE

Le théâtre à l'époque romaine (du IIIᵉ siècle avant J.-C. au Iᵉʳ siècle après J.-

Le goût du divertissement

Comme les Grecs, les Romains organisent leurs premières pièces de théâtre pour honorer le dieu du vin qu'ils nomment Bacchus. Bien vite l'importance religieuse s'estompe, le théâtre devient un lieu de divertissement. Le peuple romain aime se divertir et l'Empereur l'encourage : les spectacles sont gratuits et organisés les jours fériés, tous peuvent donc venir. Tout est à la charge de l'État ou d'un édile, magistrat nommé pour un an qui s'occupe de l'administration de la ville et de l'organisation des jeux. De leur côté, les plus riches organisent des représentations privées.

Les jeux réguliers s'organisent en quatre périodes : *mégalésiens* (avril), *apollinaires* (juillet), *romains* (septembre) et *plébéiens* (novembre). Sous l'Empire, l'année ne compte pas moins de 182 jours fériés !

Un lieu clos

Les Romains s'inspirent de l'architecture du théâtre grec pour construire des théâtres plus imposants. Ils conservent la forme arrondie et les gradins mais ajoutent un mur de scène souvent monumental. Le théâtre n'est pas bâti à flanc de colline mais au cœur de la ville, fermé par d'immenses murs. C'est un espace clos décoré de colonnes et de bustes alors que le théâtre grec est ouvert sur la magie du paysage.

Le mur du théâtre d'Orange mesure 36 m de haut et 103 m de large.

Pour comparer, l'Opéra de Paris contient 2 156 places, le *San Carlo* de Naples 2 900 et la *Scala* de Milan 3 600 places.

Des théâtres immenses

Les premiers théâtres sont en bois, puis au premier siècle avant J.-C. apparaissent des théâtres en pierre. Ceux-ci sont souvent gigantesques, comme les trois théâtres de Rome :
- théâtre de Pompée (55 av. J.-C.)   27 000 spectateurs
- théâtre de Balbus (13 av. J.-C.)   7 700 spectateurs
- théâtre de Marcellus (11 av. J.-C.)   14 000 spectateurs

« Scaurus fit construire pour quelques jours un théâtre à trois étages de 80 000 places, ayant 360 colonnes, sans compter 3 000 statues d'airain... » témoigne Pline l'Ancien (23-79 après J.-C.).

Amphithéâtre à Nîmes.
Rollin, **Atlas de l'histoire romaine.**

Un opéra chanté au théâtre d'Orange, en 1995.

???

LES GRANDS COMIQUES ROMAINS

➡ Plaute (254 –184 av. J.-C.)

Plaute, malgré sa formation d'acteur, s'essaie à tous les métiers pour finalement se consacrer à sa première passion : le théâtre. Il écrit de nombreuses pièces qui connaissent un vif succès surtout auprès d'un public populaire. Plaute aime la franche rigolade et les bouffonneries. On pense qu'il a écrit 130 pièces, mais seulement 21 nous sont parvenues. Les plus connues sont *Amphitryon* et *Aulularia : La Marmite* (dont Molière s'inspirera pour écrire *L'Avare*).

➡ Térence (185–159 av. J.-C.)

Térence est un ancien esclave venu de Carthage (Tunisie). Il est affranchi et devient le protégé des Scipion, grande famille romaine. Il écrivit 6 pièces dont *L'Andrienne*, *L'Hécyre*, *L'Eunuque* et *Phormion*. Il s'attache à la vérité des personnages et crée avant l'heure ce qui deviendra le « drame bourgeois ». Sa courte vie explique une œuvre réduite.

Les Romains bâtissent également un grand nombre de théâtres en Gaule : à Nîmes, à Arles, à Vaison-la-Romaine, à Orange, à Lyon, à Lutèce (Paris), à Fréjus, à Autun... ; et aussi en Afrique (Doigga en Tunisie) et en Asie (Aspendos).

En France, le théâtre romain le mieux conservé est celui d'Orange, il date de la fin du Ier siècle avant J.-C. et contient 40 000 places.

Le confort

Les Romains veulent être bien installés. Pour se protéger du soleil ou de la pluie, ils tendent un grand voile au-dessus du théâtre. Des couloirs, creusés sous les gradins, permettent d'éviter les bousculades. Les spectateurs circulent avec facilité et accèdent aisément à toutes les places.

Rire, toujours rire

Les Romains aiment s'amuser et trouvent vite la tragédie trop sérieuse. Ils la délaissent, seuls les lettrés l'apprécient. Par contre, la comédie remporte un franc succès. Les spectateurs rient des grosses farces, des bastonnades, des bouffonneries, des jurons et des poursuites. Molière reprendra cette forme de théâtre qui aime le quiproquo et l'aparté, par exemple dans *Amphitryon* ou dans *L'Avare*.

Le quiproquo est un malentendu : par exemple lorsqu'on prend une personne pour une autre.

Des personnages types

D'une pièce à l'autre, ce sont toujours les mêmes personnages que l'on retrouve : l'esclave ingénieux,

L'aparté est un mot ou une parole que l'acteur prononce en direction du public, comme s'il s'adressait seulement aux spectateurs.

le soldat fanfaron, le vieillard avare et la jeune fille à marier. Chacun porte un costume qui lui permet d'être identifié rapidement : une tunique courte pour l'esclave, une robe jaune pour la courtisane, des vêtements de toutes les couleurs pour les jeunes et du blanc pour le vieillard.

Pour être vu de loin

Les acteurs n'hésitent pas à porter des perruques et à se maquiller le visage avec des couleurs vives pour que les spectateurs même éloignés les voient bien. Une femme aura le visage blanc, tandis qu'un esclave se maquillera en rouge et l'homme libre en marron.

La perruque est noire pour le jeune homme, rousse pour l'esclave et blanche pour le vieillard.

Dès le premier siècle avant J.-C., les acteurs mettent des masques qui permettent de mieux distinguer l'expression du visage : triste pour un acteur tragique, hilare pour un acteur comique, parfois les deux (l'acteur joue alors de profil selon l'expression qu'il veut montrer).

Il existait une quarantaine de masques pour la comédie et une vingtaine pour la tragédie.

Ils se grandissent avec des cothurnes grecs, devenus de véritables petites échasses. Mais dans les comédies, on ne porte que des chaussons plats.

Le célèbre auteur comique, Plaute, a reçu ce surnom qui signifie « pieds plats », à cause de son goût pour la comédie.

Détail d'une peinture représentant le théâtre romain vu par le Moyen Âge : Calliopus lit le texte de Térence mimé par des jongleurs devant le peuple romain. Bibliothèque de l'Arsenal, Paris.

Un métier d'esclave

Les acteurs sont des esclaves ou des affranchis. Ils sont dirigés par le chef de troupe qui achète une pièce à un auteur et en assure la mise en scène. Une grande place est accordée à la danse et au chant accompagné à la flûte. La prestation de l'acteur peut le rendre célèbre et lui procurer les faveurs des puissants.

L'acteur porte le nom d'*histrion*, ce qui signifie « celui qui danse ».

Ils préfèrent les jeux du cirque

Les comédies reprenant toujours un peu les mêmes thèmes, le public leur préfère souvent les combats de gladiateurs, c'est plus vivant ! On transforme alors les pièces de théâtre qui ne sont plus des textes joués mais plutôt des pantomimes ou des mimes. Sur une musique d'orchestre (cymbales, trompette et orgue) un seul acteur mime en dansant le jeu de plusieurs personnages, et le chœur raconte l'histoire en chantant. Le théâtre a disparu.

Lors d'une représentation, des spectateurs quittèrent le théâtre pour les arènes voisines où se déroulait un combat de gladiateurs.

Personnage comique en terre cuite.

LA MARMITE – Plaute
Acte I, scène 1 (extrait)

Euclion - Sors, te dis-je, allez, sors ! Il faudra bien que tu sortes, par Hercule, maudite espionne, avec tes yeux sans cesse à l'affût !

Staphyla - Hé, pourquoi me bats-tu, malheureuse que je suis ?

Euclion - Pour que tu sois malheureuse !

[...]

Staphyla - Que les dieux me poussent au suicide, plutôt que d'être ton esclave dans ces conditions !

Euclion - Mais voyez-vous comme la scélérate murmure entre ses dents ! Par Hercule, je t'arracherai ces yeux maudits, coquine !

Molière s'inspira de cette pièce pour écrire L'Avare.

L'AVARE – Molière
Acte I, scène 3 (extrait)

Harpagon - Hors d'ici tout à l'heure, et qu'on ne réplique pas ! Allons, que l'on détale de chez moi, maître juré filou, vrai gibier de potence !

La Flèche - *(à part)* Je n'ai jamais rien vu de si méchant que ce maudit vieillard, et je pense, sauf correction, qu'il a le diable au corps.

Harpagon - Tu murmures entre tes dents ?

La Flèche - Pourquoi me chassez-vous ?

Harpagon - C'est bien à toi, pendard, à me demander des raisons ! Sors vite, que je ne t'assomme.

La Flèche - Qu'est-ce que je vous ai fait ?

Harpagon - Tu m'as fait que je veux que tu sortes.

THÉÂTRE SACRÉ, THÉÂTRE PROFANE

Le théâtre au Moyen-Âge (du XIe siècle au XVIe siècle)

Du spectacle de rue à l'église

Le Mystère de la Passion, qui raconte la passion du Christ, fut joué en 1547 à Valenciennes et dura 25 jours, à raison de 1 800 à 2 500 vers récités par jour.

Pendant six cents ans, le théâtre n'est plus qu'un souvenir. On se contente des spectacles de rue : un jongleur, un montreur d'ours, un conteur. Pour frapper l'imagination des fidèles, les hommes d'Église miment certaines scènes bibliques : l'Adoration des bergers, l'Adoration des Mages, le Massacre des Innocents… La vie d'un saint ou d'un prophète peut également être le sujet d'une représentation. La grandeur du lieu, la beauté de la nef, du chœur de l'église, et des voûtes suffisent à rendre la dimension sacrée du spectacle. C'est donc dans les églises que renaît le théâtre.

Des moines acteurs

Ces épisodes, appelés drames liturgiques ou drames de l'église, réunissent des moines devenus acteurs pour quelques heures ! Ils parlent latin, et jouent des rôles de femmes ! Imaginez un moine barbu dans le rôle de Marie !

Le poids des symboles

Les moines n'ont pas de costume, mais se servent de quelques objets symboliques ou sacrés : une palme, en signe de triomphe, un linceul (drap dans lequel on ensevelit un mort) représentant celui du Christ, ou un encensoir (petite coupe où brûle l'encens).

Pour permettre aux fidèles d'imaginer la scène, des meubles ou des tentures évoquent le lieu de l'action : Jérusalem, le désert…

Sur les parvis et dans les rues

Encouragées par le succès de ce théâtre joué dans les églises, des vocations naissent. Des hommes écrivent des textes à jouer, d'autres deviennent acteurs. Le spectacle s'installe désormais sur le parvis ou sur une place publique.

De nouvelles pièces de théâtre sont mises en scène, pourtant les sujets restent religieux. Mais on abandonne le latin, et les acteurs parlent le français à partir du XIIe siècle.

Trois auteurs du Moyen Âge nous sont connus : Jean Bodel (mort vers 1210), auteur du *Jeu de Saint Nicolas*. Rutebeuf (1230-1285), auteur du *Miracle de Théophile*. Adam de la Halle (1240-1285), auteur du *Jeu de la Feuillée*.

CEUX QUI VONT DE VILLE EN VILLE

→ **Le jongleur** se produit dans toutes les fêtes (mariages, banquets). Il est à la fois acrobate, magicien et danseur. Pendant ses numéros, il récite des poèmes qu'il a appris par cœur, et introduit parfois des vers qu'il a composés lui-même.

→ **Le bouffon** est au service d'un Grand, qu'il doit amuser de ses sketchs et de ses bons mots.

→ **Le troubadour** ressemble au jongleur. Il récite de longs poèmes qui racontent les amours d'un chevalier. Ils sont très nombreux au XIIIᵉ siècle.

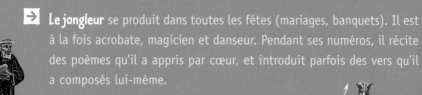

→ **Les baladins** et **les saltimbanques** sont des comédiens ambulants qui amusent par leurs acrobaties.

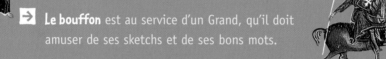

Troubadours, v. 1880. Lithographie couleur, fac-similé de différents manuscrits français des XIIᵉ et XIIIᵉ siècles.

Mystères et miracles

Un souffle nouveau est donné au théâtre qui se développe dans toute l'Europe. Sous les porches des églises ou dans les rues, on joue des mystères qui racontent longuement des passages de l'histoire sainte en particulier la mort du Christ (la Passion), des miracles qui mettent en scène l'intervention merveilleuse d'un saint ou de la Vierge, ou encore des jeux qui montrent la vie d'un saint ou d'un homme extraordinaire.

En Italie, les acteurs récitent des poèmes à la gloire de Dieu, les *laudes* (louanges). En Angleterre, on joue des pièces dont l'histoire est tirée de la Bible, les *Miracle plays*.

Des tableaux joués en même temps

Ce théâtre adopte le même principe que les vitraux ou les tympans : il raconte en plusieurs scènes juxtaposées la vie du Christ. Ainsi toutes les scènes sont-elles jouées en même temps ! Simultanément les acteurs interprètent des épisodes successifs avec un grand souci de réalisme : là les diables brandissent leurs flammes, là un homme se lamente en prison, là les anges accueillent un saint.

En 1437 à Metz, deux prêtres qui jouaient le Christ et Judas frôlèrent la mort ! Le premier perdit connaissance après être resté trop longtemps sur la croix, le second faillit se pendre réellement.

Des décors juxtaposés

Habituellement, les différents lieux de l'action, représentés grâce à des mansions, sont placés les uns à côté des autres. Le spectateur voit facilement toute la longueur de la scène qui peut s'étendre sur cinquante mètres. On découvre Jérusalem à quelques pas de Rome, un palais, une prison, et

Chaque bâtiment du décor porte le nom de *mansion* (demeure) : un palais, un tombeau, une maison, un temple, ou une ville (Rome, Jérusalem, Nazareth). En Angleterre les *mansions* sont disposées sur des chariots qui traversent la ville, les spectateurs les suivent.

L'Enfer est représenté par des flammes et une gueule immense prête à engloutir l'homme mauvais. Autour des marmites bouillonnantes courent des diablotins armés de fourches et de fouets. En face, le Paradis est symbolisé par un nuage où tournoient des anges blancs.

de chaque côté de la scène, comme pour la fermer, l'Enfer et le Paradis. Parfois, on utilise une disposition en cercle, par exemple à Bourges les pièces sont données dans l'amphithéâtre romain.

Un spectacle grandiose

Soixante-dix scènes peuvent se succéder dans un flamboiement de couleurs et de costumes ! Une centaine d'acteurs participent, ils jouent souvent plusieurs rôles. Un tel spectacle fascine les foules enthousiastes !

Le théâtre profane

Les comédies latines ont du succès et sont étudiées dans les grandes universités d'Europe. Le rire est à l'honneur ! On délaisse les sujets religieux pour préférer des scènes de la vie quotidienne, et tout cela dans une ambiance joyeuse de carnaval.

Miniature de Hubert Cailleau montrant les différentes mansions disposées sur une scène frontale pour La Passion et la Résurrection de Notre-Seigneur Jésus-Christ, à Valenciennes, 1547. Bibliothèque nationale de France, Paris.

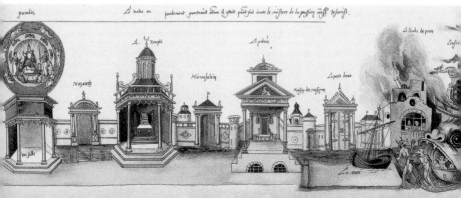

Rire et farce

La farce est une pièce comique, jouée lors de mariages ou de fêtes populaires. On y trouve bastonnades, poursuites, quiproquo et jeux de mots. Chacun cherche à duper l'autre, à le « farcer » !

Plus de 150 farces ont été écrites entre 1450 et 1550, par des auteurs généralement anonymes. La plus connue est *La farce de Maître Pathelin* (1464).

Sur des tréteaux

En joyeux amateurs, les acteurs se réunissent en troupes et se produisent en plein air, dans les rues, sur des tréteaux étroits fermés par des rideaux. Ils sont masqués, parfois enfarinés, et ils jouent des rôles connus et appréciés du spectateur : le marchand rusé, le bourgeois naïf, le mari trompé ou la femme légère.

Les acteurs sont des amateurs (des bourgeois, clercs, étudiants) ou parfois des semi-professionnels.

La sotie

La *sotie* est inspirée de la Fête des Fous (les sots) pendant laquelle on lisait des sermons en l'honneur de saint Andouille ! Elle est jouée par des acteurs habillés comme des fous, ils portent un costume bicolore, vert et jaune, et des oreilles d'âne sur la tête. Comme au carnaval, les valeurs et les rôles sont renversés : les maîtres deviennent esclaves, un simple fidèle prend le rôle de l'évêque…

Les sots critiquent la société, et chaque personnage représente un groupe social (les nobles, les juges, les marchands…).

La moralité

Visant à éduquer le spectateur, la moralité est moins amusante. Les personnages portent des noms qui renvoient à des défauts, à des qualités ou même à des maladies. Par exemple, dans la *Condamnation de Banquet* (moralité du XVe siècle qui doit montrer l'utilité d'un régime alimentaire sain et raisonnable) entrent en scène Gourmandise et Friandise qui sont agressées par Apoplexie, Paralysie et Jaunisse. Un procès a lieu, Banquet est accusé, il est pendu par Diète !

Vers un spectacle payant

Ces petites pièces sont jouées en plein air, dans les rues. Chacun s'attroupe autour des acteurs et s'amuse gratuitement de ces saynètes. Parfois après la représentation, les acteurs passent parmi le public pour faire la quête.

C'est seulement au XVe siècle que les places deviennent payantes, ce qui exclut une partie du peuple, faute d'argent.

Les premiers théâtres

Le théâtre devient un lieu réservé à certains après avoir été un divertissement offert à tous. Pour bien surveiller les entrées, on entoure la scène de clôtures ou bien l'on s'installe dans une cour intérieure ou un cloître. On commence alors à ima-

Acteurs jouant sur des tréteaux à la foire de Guibray. Bibliothèque nationale de France, Paris.

giner des gradins ou bien des loges pour améliorer le confort des spectateurs.

Le théâtre interdit

La représentation des mystères scandalise l'Église et l'État, à cause du regard critique porté sur la religion. Les autorités pensent que de tels spectacles ne sont pas bons pour le peuple. En 1444, la faculté de théologie de Paris condamne la Fête des Fous qui inverse les valeurs (les serviteurs prennent le pouvoir, les paysans commandent les seigneurs…) et ridiculise l'autorité de l'Église.

Un siècle plus tard, les mystères sont interdits. Le 17 novembre 1548, le parlement de Paris rend publique cette mesure, qui sera fatale au théâtre. Les pièces comiques peuvent continuer à être jouées, mais le cœur n'y est plus. L'opposition de l'État a brisé l'élan qui animait l'ensemble des acteurs et auteurs.

LA PREMIÈRE TROUPE THÉÂTRALE

1398 La première troupe est née : *Les Confrères de la Passion*. Elle réunit des bourgeois, des tapissiers, des merciers, des épiciers, des notables.

1402 La troupe est installée par Charles VI à l'hôpital de la Sainte-Trinité à Paris, premier théâtre permanent. Elle présente des mystères, des farces et des moralités.

1539 Les comédiens déménagent et occupent l'hôtel des Flandres.

1543 L'hôtel des Flandres est démoli. On construit l'hôtel de Bourgogne, qui devient le théâtre des Confrères de la Passion.

1548 Le 17 novembre, un arrêt du Parlement de Paris défend aux Confrères de représenter des pièces à sujet religieux, mais leur accorde l'exclusivité pour la représentation des autres types de pièces, à Paris et dans ses faubourgs.

1597 Henri IV renouvelle ce monopole.

LA FARCE DE MAÎTRE PATHELIN
Auteur anonyme – Scène 2

Maître Pathelin est un avocat sans affaires qui manque cruellement d'argent. Il se rend à la foire pour acheter un drap réclamé par sa femme. Mais sans argent, il devra se montrer habile et tromper le vendeur.

Maître Pathelin - Eh bien, Sire, voulez-vous me les donner à crédit, jusqu'à tout à l'heure, quand vous viendrez ? *(Le Drapier fronce le sourcil.)* Pas exactement crédit : vous recevrez la somme à la maison, en or ou en monnaie.

Le Drapier - Par Notre Dame, c'est pour moi un grand détour d'aller par-là.

Maître Pathelin - Hé ! Par Monseigneur saint Gilles, vous n'avez pas dit la stricte vérité quand vous disiez que vous feriez un détour. C'est bien cela ! Jamais vous ne voudriez trouver une occasion de venir boire chez moi. Eh bien vous y boirez cette fois !

Le Drapier - Eh, par saint Jacques, je ne fais guère autre chose que boire. J'irai. Mais il n'est pas recommandé, vous le savez bien, de donner à crédit pour l'étrenne.

Maître Pathelin - Suffit-il que je commence votre vente avec des écus d'or, et non avec de la monnaie ? Et ainsi vous mangerez l'oie que ma femme est en train de rôtir.

Le Drapier *(à part)* - Vraiment cet homme me rend fou ! Eh bien, précédez-moi ! J'irai chez vous en apportant le drap.

Maître Pathelin - Pas du tout ! Le drap, sous le bras, me gênera-t-il ? Nullement !

Le Drapier - Ne vous inquiétez pas ! Il vaut mieux, par honnêteté, que je le porte.

Maître Pathelin - Que mauvaise fête m'envoie sainte Madeleine, si vous en prenez jamais la peine ! C'est très bien dit : sous le bras ! *(Il met le drap sous sa robe.)* J'aurai là une belle bosse ! C'est très bien.

4

ARLEQUIN, COLOMBINE ET POLICHINELLE

La *commedia dell'arte* et le théâtre italien (du XVIe au XVIIIe siècle)

La *commedia dell'arte*

Vers le milieu du XVIe siècle, les Italiens voient naître une nouvelle forme de théâtre, la *commedia dell'arte*. Elle doit en partie son immense succès à son goût du spectacle comique et caricatural. S'inspirant des comédies latines, des pantomimes, ou des farces du Moyen Âge, c'est un théâtre divertissant organisé autour du rire.

Commedia dell'arte signifie la comédie pour les professionnels (les hommes de l'art). On la désigne aussi sous les termes de *commedia al improviso* – la comédie improvisée car les acteurs n'apprennent pas par cœur un texte écrit mais improvisent – ou encore *commedia a soggetto* – la comédie à sujet – car seul le thème est fixé, le reste étant laissé à l'imagination des acteurs.

De simples canevas

La *commedia dell'arte* s'oppose à la *commedia erudita*, qui est écrite par un auteur connu, pour être récitée par les acteurs. Rien de tel pour la *commedia dell'arte* : un auteur, souvent acteur, met au point un canevas (un scénario très court) que les acteurs retiennent. Ils peuvent le consulter entre chaque scène, les étapes principales de l'action sont inscrites sur un feuillet accroché dans les coulisses. Il s'agit d'intrigues faciles à suivre comportant des farces et des coups de bâtons.

Les canevas ne servaient qu'à l'improvisation, ceux qui sont parvenus jusqu'à nous sont plutôt décevants. Le plus souvent, aucun dialogue n'est noté, il est donc difficile d'imaginer ce qu'était le résultat final.

L'art de l'improvisation

Les acteurs improvisent, ils reprennent les nombreuses tirades qu'ils connaissent, les arrangeant pour la circonstance. Ils jonglent avec les phrases, mettent à l'épreuve leur vivacité d'esprit et brillent par des jeux de mots inattendus ! Tout est dans l'improvisation, qui garantit un spectacle nouveau à chaque représentation !

Des trucs pour faire rire

L'improvisation totale est impossible, c'est pourquoi chaque acteur garde à l'esprit des morceaux

Un acteur de la commedia dell'arte. Gravure du XVIIIe siècle.

de tirade, des répliques amoureuses ou moqueuses, des bouts de dialogues… Pour remédier à un trou de mémoire, il utilise des jeux de scène et des inventions comiques : acrobaties, grimaces, culbutes ou gifles lui laissent le temps de trouver des idées pour relancer le dialogue.

Arlequin-médecin : « Prenez du poivre, de l'ail et du vinaigre et frottez-vous le derrière, cela vous fera oublier votre mal. (Au Capitant s'en allant) Monsieur ! Monsieur ! J'oubliais le meilleur : prenez une pomme, coupez-la en quatre parties égales; mettez un des quartiers dans votre bouche et ensuite tenez-vous ainsi la tête dans un four, jusqu'à ce que la pomme soit cuite, et je réponds que votre mal de dents sera guéri. » Extrait d'un canevas.

Une bonne entente

Une improvisation réussie repose aussi sur la bonne entente qui règne entre les comédiens. En effet, la complicité qui les lie leur permet de prononcer une déclaration d'amour ou une tirade de reproches, sans que ni l'un ni l'autre ne soit jamais pris au sérieux ! Tout est rire !

Des personnages-types

Héritiers de la tradition romaine, les personnages de la *commedia dell'arte* sont excessifs, extravagants, ventrus et drôles à voir ! Ils incarnent des rôles-types comme dans les comédies de Plaute. On retrouve le valet rusé, le père avare, les amoureux ou le médecin pédant, mais les Italiens ont su les adapter à leur temps.

Scaramouche et Polichinelle viennent de Naples, Brighella et Arlequin de Bergame, le Capitan d'Espagne, Pantalon de Venise, Beltrame et Scapin de Milan.

Ainsi chaque personnage vient d'une ville déterminée, et parle avec l'accent de Milan ou de Venise ! Pour ne pas lasser le spectateur et pour préserver le rythme enjoué du texte, les personnages sont nombreux et variés : Scaramouche,

Arlequin et Colombine, Polichinelle et Pierrot, Pantalon, Cynthio et Isabelle…

La comédie des masques

Acrobates, excellents dans l'art du saut périlleux, les acteurs de la *commedia dell'arte* portent des masques qui correspondent à des personnages bien précis. Ils sont ainsi immédiatement identifiés par les spectateurs.

Une figure simple

Très différent des masques grecs et romains, le masque italien ne cherche ni à effrayer ni à faire rire. Il ne représente pas un visage déformé mais plutôt une figure simple sans expression de colère ou de tristesse. Le masque accompagne les gestes de l'acteur, il fait partie de la pantomime. À lui seul, il n'exprime rien.

On raconte que Scaramouche, à l'âge de quatre-vingt-trois ans, pouvait toujours donner un soufflet avec le pied !

Les acteurs ne jouent souvent qu'un seul personnage, qui devient leur personnage, à tel point qu'on les identifie complètement avec le rôle qu'ils incarnent. Ainsi lorsque l'acteur Biancolelli est décédé en 1688, a-t-on dit : « Arlequin est mort. »

Les masques de la **commedia dell'arte** *sont généralement en cuir, ce qui permet à la peau de respirer. Certains sont en carton bouilli peint et entoilé. Le plus souvent les masques ne couvrent pas la bouche.*

LES PERSONNAGES-TYPES DE LA *COMMEDIA DELL'ARTE*

➡ Les deux valets (zanni)

Arlequin *peint par Cézanne, XIXᵉ siècle.*

Arlequin est le personnage emblématique de la *commedia dell'arte* : paresseux et insolent, fantaisiste et amusant, émouvant et parfois même spirituel. Il fascine par son agilité, son sens de la répartie, sa capacité à passer du rire aux larmes en un rien de temps. Il doit son nom au prince des démons, Aliquinio, ou à un jeune acteur bouffon prénommé Hellequin. Son costume bigarré est le signe de sa pauvreté. Comme il ne peut s'acheter un costume neuf, il répare le seul qu'il possède avec des tissus de toutes les couleurs. Selon la légende, ses amis, pris de pitié au moment du carnaval, lui auraient apporté chacun un morceau d'étoffe pour lui permettre de se confectionner un habit coloré.

Brighella, ou **Scapin**, est un valet débrouillard. Il aime tromper ses maîtres, essaie de les voler ou de les battre à coups de bâtons. Il ne vit que pour son plaisir.

➡ Le Capitan

Scaramouche, ou **Matamore**, raconte toujours ses exploits qui ne sont qu'imaginaires car, en réalité, il est trouillard et lâche. Il a peur de son ombre !

Les deux vieillards qui se détestent :

Pantalon est le vieil avare, toujours grognon et mécontent. Il tombe souvent amoureux de la jeune fille qu'aime son propre fils. C'est ce personnage comique et ridicule que reprendra Molière sous le nom d'Harpagon (*L'Avare*). Dans le langage courant, l'expression « pantalonnade » évoque une scène ridicule ou des paroles hypocrites.

Il Dottore est le faux médecin, le pédant qui agace par ses discours soi-disant savants. Tous les médecins de Molière s'inspirent de ce personnage.

Les deux amoureux

Cynthio est un jeune homme distingué et cultivé, mais qui est souvent ridicule. Chez Molière, il s'appelle en général Léandre.

Isabelle est une jeune fille naïve et sincère. Elle est la fille de Pantalon qui cherche à la marier à tout prix.

La soubrette (la servante)

Colombine est une jeune fille vive et délurée, qui n'hésite pas à mentir pour servir ses intrigues amoureuses. Molière la nomme Zerbinette ou Toinette.

Autres personnages

Pierrot est un valet, ignorant et naïf, plutôt charmant. Il devint plus tard le personnage muet des pantomimes.

Polichinelle est un paysan bossu et ventru. Lourdaud, il ne pense qu'à boire, à manger et à se reposer. Il sera récupéré dans le spectacle de marionnettes (à partir du XVIIIe siècle), où il deviendra l'un des compagnons de Guignol.

Le Polichinelle *peint par Manet, XIXe siècle.*

Acteurs de la commedia dell'arte sur un chariot, *peint par Jan Miel, XVIIᵉ siècle.*

Des acteurs itinérants

Les comédiens se marient entre eux et transmettent leur passion à leurs enfants, et ce de génération en génération !

Une chatte, un coq, quatre chiens de chasse peuvent ainsi voyager avec les acteurs…

Chaque troupe, formée d'une dizaine d'acteurs le plus souvent de la même famille, se déplace de ville en ville et joue dans les rues, dans le palais d'un seigneur, plus rarement dans un vrai théâtre. Elle emporte donc tout le matériel dont elle a besoin : des tréteaux pour la scène, les costumes, les rideaux, les toiles pour le décor et les différents accessoires nécessaires au spectacle (par exemple des bâtons, des lanternes, des animaux vivants, un pot de chambre contenant du vin blanc, des costumes de notaires, de voyageurs…).

Une scène surélevée

Dressée à un endroit stratégique de la ville, la scène est surélevée à hauteur d'homme pour que tout le monde puisse voir. Les spectateurs ne peuvent s'asseoir et se pressent tout autour. Des rideaux sont tendus le long de la scène et permettent aux acteurs d'utiliser l'espace sous les planches comme coulisses.

Une toile peinte, représentant une rue et des façades de maisons, sert de décor. De larges fentes permettent aux comédiens d'entrer ou de sortir, en plus des échelles installées des deux côtés de la scène.

À partir de la fin du XVIe siècle, les troupes les plus importantes bénéficient de théâtre de pierre, et peuvent prévoir de somptueux décors. Ils jouent dans le magnifique théâtre Olympique de Vicence (1585), ou dans le théâtre de Farnèse (1628).

Le théâtre Olympique de Vicence, dessiné par Palladio, possède une scène remarquable par ses arcades et ses perspectives.

Les Italiens à Paris

Toute l'Europe est conquise par la *commedia* : l'Espagne, la Hollande, l'Allemagne, l'Autriche et surtout la France. En 1570, Catherine de Médicis fait venir la troupe des Gelosi à Paris qui joue jusqu'en 1604 à l'Hôtel de Bourgogne. La troupe des Fiorilli-Locatelli investit le Petit-Bourbon, qu'elle quitte en 1660 pour jouer au théâtre du Palais-Royal en alternance avec Molière.

Catherine de Médicis, originaire de Florence, en Italie, épousa le futur roi de France, Henri II.

Le problème de la langue

Les acteurs de la *commedia dell'arte* s'expriment en italien, mais le public ne se plaint jamais de ne pas comprendre les textes. Les spectateurs aiment le jeu rythmé de danses et de musiques, les costumes cousus dans de riches étoffes et l'humour inimitable. À partir de 1684, les acteurs se mettent à parler français, mais les plaisanteries vont alors blesser certaine personnes. Mme de Maintenon fait interdire en 1697 tous les spectacles des Italiens.

La marquise de Maintenon eut une très grande influence sur Louis XIV, qui l'épousa secrètement en 1683.

La renaissance

Les Italiens continueront à jouer dans les rues de Paris et dans les foires.

À la mort de Mme de Maintenon, en 1719, les Italiens reviennent à Paris. Mais leur triomphe est de courte durée. L'improvisation ne séduit plus les spectateurs. Les maîtres de la *commedia dell'arte*, de moins en moins nombreux, se tournent vers le chant et obéissent ainsi à la nouvelle mode de l'opéra. L'opéra-comique est né ! Malgré tout, certains auteurs (Goldoni et Gozzi), persuadés que la *commedia dell'arte* n'est pas morte, entreprennent d'en modifier certaines règles…

L'influence du théâtre italien

Arlequin est le personnage principal de plusieurs comédies comme *Arlequin poli par l'amour* (Marivaux, 1720).

Les Italiens ont fortement influencé les hommes de théâtre, acteurs ou dramaturges. Molière, par exemple, reprend souvent des personnages de la *commedia dell'arte* dans ses comédies : Sganarelle

(*Le Médecin malgré lui*) ou Scapin (*Les Fourberies de Scapin*), les vieillards ou les amoureux.

L'architecture des théâtres profite de cette mode. On parle désormais de « scène à l'italienne ». Il s'agit d'une scène surélevée, fermée par un rideau et possédant des décors en trompe-l'œil pour donner une impression de profondeur. Dans ces nouveaux théâtres, la salle en forme d'ellipse accueille un grand nombre de spectateurs, mais certaines places ne permettent pas toujours de voir la scène !

DEUX AUTEURS ENNEMIS

→ **Carlo Goldoni (1707-1793)**

Goldoni transforme la *commedia dell'arte* en remplaçant le texte improvisé par un texte écrit. Il abandonne les masques et remplace les personnages traditionnels par des personnages moins caricaturaux. En 1762, il s'installe à Paris où il dirige la Comédie italienne et fait jouer ses pièces. Parmi ses 212 pièces, citons *Arlequin serviteur de deux maîtres*, *Le Café*, *L'Hôtesse*, *Le Théâtre comique*.

→ **Carlo Gozzi (1720-1806)**

Gozzi est l'ennemi de Goldoni, le réformateur, car lui cherche à défendre la *commedia dell'arte* dans sa forme traditionnelle. Il écrit de nombreux canevas, comme *L'Amour des trois oranges*, *Le Corbeau*, *Le Roi cerf*, *La Princesse Turandot*, et laisse le soin aux acteurs d'improviser. Il aime les masques et les personnages types.

5

LE THÉÂTRE ÉLISABÉTHAIN

Le théâtre anglais (vers 1570-1642)

Des acteurs itinérants

Pendant tout son règne qui dura 45 ans, Elisabeth Ire protégea les arts et surtout le théâtre, d'où l'adjectif *élisabéthain* attaché à cette période de l'histoire de l'Angleterre.

De la belle demeure d'un noble au palais de la reine, les acteurs anglais vont partout où on les réclame. Itinérants, ils s'arrêtent dans les lieux fréquentés pour profiter d'un public nombreux.
Ils installent leur théâtre démontable dans la cour d'une auberge. Les spectateurs se tiennent debout au pied de la scène, ou bien paient un peu plus cher et regardent le spectacle d'un balcon. La pièce étant terminée, l'aubergiste touche un pourcentage de la recette, et les comédiens partent vers d'autres lieux.

On construit des théâtres

Les troupes rêvent de théâtres fixes ! Ce serait au tour des spectateurs de se déplacer. Quatre théâtres sont construits à Londres en vingt ans : *Le Théâtre* (1576), *Le Rose* (1587), *Le Swan* (1595), *Le Globe* (1596). En 1601, la ville compte déjà huit théâtres fixes, et en moins de trente ans, ce nombre va doubler : en 1629, il y a dix-sept théâtres londoniens.

Des théâtres privés

Les théâtres publics sont situés dans la périphérie de Londres, de l'autre côté de la Tamise. Ces lieux, peu faciles d'accès, effraient une partie de la population ! Pour plus de commodité, on construit des théâtres privés au cœur de Londres. Les places y sont très chères et leur nombre limité à 600 personnes. À la différence des théâtres

En 1613, lors d'une représentation, une négligence provoque un grave incendie qui détruit entièrement *Le Globe*.
Par chance, personne n'est blessé. On le reconstruit aussitôt en remplaçant la toiture de chaume par des tuiles.

Le théâtre du Globe *(détail), peint par James Stow, XVIIIᵉ siècle.*

publics, ces salles sont closes et couvertes. Les représentations ont lieu le soir, après avoir fermé tous les volets ! La lumière des chandelles éclaire le jeu des acteurs.

Un théâtre à trois étages

Les premiers théâtres publics anglais reprennent le modèle de la cour d'auberge ! Le bâtiment est circulaire ou octogonal. Un large espace vide est laissé au milieu, et on place la scène contre l'un des murs. La scène est divisée en deux parties : la première (large de douze mètres environ), à ciel

La scène élisabéthaine et ses quatre espaces scéniques :
le balcon ❶, l'arrière-scène ❷, la scène ❸, l'avant-scène ❹.

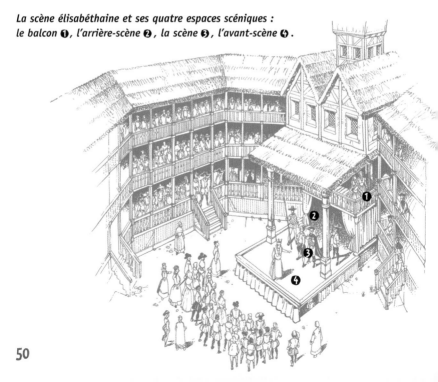

ouvert, avance au milieu du parterre ; l'autre, située derrière, est protégée par un petit toit de tuiles ou de chaume, soutenu par deux colonnes. Tout au fond, un rideau masque les coulisses. Au-dessus de la scène, une avancée représente un balcon, et un troisième étage peut être utilisé par les musiciens ou les acteurs.

Quatre espaces scéniques

Il y a donc quatre lieux scéniques : l'avant-scène où se déroulent les batailles ou les duels, l'arrière-scène qui représente la pièce cachée où se retrouvent les amoureux ou bien le tombeau sur lequel on pleure, le balcon, au-dessus, qui peut servir de rempart à un château fort, et enfin la scène (entre l'avant et l'arrière-scène) où évoluent les acteurs.

Des objets essentiels

Les décors, réduits à quelques objets, permettent de métamorphoser aisément la scène et de symboliser le lieu de l'action. Un gouvernail suspendu au balcon, quelques éléments évoquant la mer, et nous voilà sur un navire. Quelques arbres sur l'avant-scène, des parois rocailleuses dans l'arrière-scène, et nous sommes au cœur d'une forêt à l'entrée d'une grotte. Les possibilités sont immenses, et les dramaturges ne se priveront pas de les exploiter.

DEUX INCONTOURNABLES DE SHAKESPEARE

▣ Roméo et Juliette (1595)

• C'est l'histoire tragique d'un amour impossible, à Vérone (Italie). Les amants viennent de deux familles ennemies : les **Capulet** (famille de Juliette) et les **Montaigu** (famille de Roméo). **Juliette** rencontre lors d'un bal le merveilleux **Roméo** dont elle tombe amoureuse. Mais son père en a décidé autrement : il veut qu'elle épouse Paris.

Malgré la haine que se vouent leurs familles, Roméo et Juliette veulent vivre leur amour et se rencontrent la nuit, dans le jardin de Juliette (c'est la scène du balcon). Ne pouvant attendre plus longtemps, ils se marient secrètement.

• Le lendemain, un événement tragique survient. Roméo, pour venger son compagnon, tué par **Tybalt**, le cousin de Juliette, dégaine son épée et le tue. Il est frappé d'exil par l'empereur. Juliette est déchirée entre l'amour de son cousin et l'amour de Roméo. Elle est désespérée !

Frère Laurent, le prêtre qui les a mariés, trouve une ruse : elle boira une potion qui lui donnera l'aspect d'une morte. Elle sera alors enterrée dans le tombeau des Capulet. Il la rejoindra alors avec Roméo et tous deux pourront s'enfuir. Juliette accepte.

• Hélas, la lettre qui doit informer Roméo du plan s'égare ! Roméo, croyant que Juliette est morte, se hâte de revenir à Vérone. La nuit, il se rend au cimetière, entre dans le tombeau et voit Juliette sans vie. Ne sachant pas qu'il s'agit d'une ruse, il se suicide en avalant du poison. Juliette se réveille et, découvrant son amant mort, prend l'épée de Roméo et se tue après lui avoir donné un dernier baiser.

Hamlet (1600-1601)

Le père d'Hamlet, roi du Danemark, est empoisonné par son frère, **Claudius**. Ce dernier s'empare immédiatement du trône et épouse la reine, mère d'**Hamlet**.

Le spectre du roi empoisonné apparaît à Hamlet et réclame vengeance. Hamlet ne parvient pas à agir, même s'il sait que Claudius est coupable. Il s'interroge et pense à sa bien-aimée, **Ophélie**. Décidé à tuer son oncle, il se trompe et tue Polonius, le père d'Ophélie. Celle-ci devient folle et se noie. **Laerte**, le frère d'Ophélie, veut que justice soit faite. Avec la complicité de Claudius, il cherche à piéger Hamlet. Tout le monde finit par mourir (sur scène) !

Philippe Rouvière dans le rôle d'Hamlet.
Huile sur toile de Manet, XIXᵉ siècle.

HAMLET
Acte III, scène 1 (extrait)

Hamlet - Être ou ne pas être, c'est là la question. Y a-t-il plus de noblesse d'âme à subir la fronde et les flèches de la fortune outrageante, ou bien à s'armer contre une mer de douleurs et à l'arrêter par une révolte ? Mourir... dormir, rien de plus ; ...et dire que par ce sommeil nous mettons fin aux maux du cœur et aux mille tortures naturelles qui sont un legs de la chair : c'est là un dénuement qu'on doit souhaiter avec ferveur. Mourir... dormir, dormir ! peut-être rêver ! Oui, c'est là l'embarras. Car quels rêves peuvent-ils nous venir dans ce sommeil de la mort, quand nous sommes débarrassés de l'étreinte de cette vie ? Voilà qui doit nous arrêter.

53

Plusieurs scènes en même temps

Rappelant la juxtaposition des décors du Moyen Âge, l'organisation scénique permet de représenter plusieurs lieux sans changer de décors. Tout est offert aux yeux des spectateurs. Les acteurs jouent ainsi plusieurs scènes en même temps, chacun dans un espace scénique différent. Aux spectateurs d'être attentifs, car l'action ainsi dispersée n'est pas toujours simple à suivre !

Des spectateurs proches des acteurs

Les spectateurs du parterre, debout, entourent la scène de trois côtés et sont très proches des acteurs. Ils participent pleinement à la pièce et peuvent entendre le moindre chuchotement d'un acteur. Pendant les deux heures que dure la représentation, ils soutiennent le bon, lui lancent des conseils, s'emportent contre le méchant qu'ils n'hésitent pas à insulter !

Rien n'est caché

Comme le rideau de scène n'est pas utilisé, rien n'est caché aux spectateurs. Quand un meurtre se produit sur scène (ce qui est fréquent dans les tragédies), le « cadavre » est transporté sur une civière pour préserver l'illusion dramatique ! Une fois dans les coulisses, l'acteur peut enfin se remettre de ses émotions.

Du sang sur scène

Les auteurs élaborent des intrigues complexes, multiplient les retournements imprévisibles, avec un goût marqué pour les vengeances impitoyables, ou les règlements de comptes. Les pièces s'achèvent parfois dans un bain de sang. La violence est montrée sans retenue. Des scènes bouffonnes, des quêtes amoureuses ou des retrouvailles détendent tout de même l'atmosphère et égaient le public.

Des personnages nombreux

Dix ou quinze comédiens composent une troupe. Une pièce comportant parfois une vingtaine de personnages, ils sont amenés à jouer plusieurs rôles. Chacun possède un signe distinctif repérable par les spectateurs : le messager porte des bottes de cheval, le roi une armure étincelante… Les costumes sont somptueux. Les acteurs se parent de bijoux, loués à la cour quand c'est nécessaire. Un grand seigneur peut offrir à son interprète favori une tenue d'un luxe exorbitant.

Des personnages travestis

Les femmes n'ayant pas le droit d'être actrices, les rôles féminins sont tenus par des hommes qui s'habillent et se maquillent en conséquence. Pour compliquer les choses, les auteurs aiment créer des personnages qui se travestissent pour parvenir à

La première pièce de Shakespeare, *Titus Andronicus* (1590), illustre bien cette volonté de représenter la violence des passions sur scène. Titus Andronicus veut se venger de la mort de ses fils et du supplice de sa fille. Il fait manger à la reine la tête de ses enfants réduites en pâté, puis il la poignarde. Il est tué à son tour. C'est un vrai carnage !

leurs fins, ainsi un homme devient-il une femme ou inversement. L'ambiguïté est permanente et le spectateur a donc bien du mal à s'y retrouver.

Des auteurs à gages

De 1570 à 1642, plus d'un millier de pièces ont été écrites mais leurs auteurs sont peu connus (leur nom ne figurait pas sur les affiches). On a pu en compter 250. Ils travaillaient souvent à plusieurs et ne signaient pas toujours.

Les auteurs sont embauchés par le chef de troupe, et travaillent essentiellement à la commande. Anciens élèves de Cambridge ou d'Oxford, deux prestigieuses universités, ils se réunissent le soir, après les représentations qui ont lieu l'après-midi. Le répertoire de la troupe devant sans cesse être renouvelé, ils sont obligés d'écrire sans relâche et de renouveler à chaque fois leur inspiration.

Une mauvaise réputation

Les puritains veulent imposer une grande rigueur morale et s'opposent à toute forme de loisir qui risque d'éloigner l'homme de Dieu.

Considéré par les puritains comme « la maison du Diable », le théâtre est un lieu de débauche qu'il faut sans plus tarder fermer ! La reine et certains seigneurs éclairés protègent les comédiens, mais leur action ne peut empêcher l'arrêt du Parlement qui, en 1642, interdit tout spectacle ! C'est la fin d'une période (1570-1642) d'une richesse théâtrale inestimable, marquée par un génie de la littérature : William Shakespeare.

DEUX GRANDS AUTEURS DU THÉÂTRE ÉLISABÉTHAIN

➔ Christopher Marlowe (1564-1593)

Marlowe fait ses études à Cambridge, puis s'installe à Londres. Provocateur et bagarreur, il fait quelques séjours en prison. Il meurt au cours d'une bagarre, d'un coup de poignard dans l'œil. Ses tragédies sont violentes et montrent les limites de l'homme. Il en écrivit 6 en 6 ans : *Didon, reine de Carthage*, *Tamerlan*, *Edouard II*, *La Tragique Histoire du docteur Faust*, *Le Juif de Malte* et *Le Massacre à Paris*.

➔ William Shakespeare (1564-1616)

La vie de Shakespeare nous est mal connue. On peut juste dire, en écoutant ses pièces, que sa culture était immense, son imagination d'une rare richesse. Son œuvre est considérable et d'une extrême variété, ce qui en fait sans doute l'un des plus grands écrivains de tous les temps. Il écrivit de magnifiques sonnets (154), des comédies enjouées et des tragédies effroyables.

On pense qu'il est l'auteur de 37 pièces. Les plus connues sont :

- les comédies : *Le Songe d'une nuit d'été*, *Beaucoup de bruit pour rien*, *Comme il vous plaira*, *La Nuit des rois* ;
- les drames historiques : *Richard III*, *Jules César*, *Antoine et Cléopâtre* ;
- les grandes tragédies : *Roméo et Juliette*, *Macbeth*, *Le Roi Lear*, *Othello* ;
- Et une pièce remarquable mais inclassable : *La Tempête*.

Portrait de Shakespeare.

6

LE SIÈCLE D'OR

Le théâtre espagnol (vers 1570-1681)

Un théâtre religieux

La première date coïncide à peu près avec celle de la jeunesse de Cervantès et la seconde est celle de la mort de Calderón.

Le siècle d'or désigne l'extraordinaire renouveau du théâtre espagnol entre 1570 et 1681. Pendant cette période florissante 10 000 pièces sont écrites ! Cette production incroyable répond à l'attente des spectateurs, toujours avides de pièces inédites. Une pièce est rarement jouée plus d'une semaine. Influencés par le théâtre européen et surtout protégés, même encouragés, par l'église espagnole, les acteurs jouent des pièces à sujet religieux. Ces drames, à l'honneur jusqu'au XVIIIe siècle, qui mettent en scène un passage précis de la Bible, la Passion du Christ, s'appellent les *auto-sacramentales*.

Jouer la vie

Au début du XVe siècle, un autre théâtre voit le jour, il s'agit de représenter des scènes de la vie quotidienne qui mêlent le tragique et le comique. La *comedia* est née. Aucun sujet n'est exclu : histoire d'amour, scène de magie, de cape et d'épée ou grand événement historique.

Ce nouveau courant théâtral s'affirme en s'inspirant du très long poème d'amour *La Célestine*, de Fernando de Rojas, qui fait intervenir de nombreux personnages.

Une histoire de famille

Très souvent, une pièce raconte une histoire familiale, on y trouve un roi (le père), un jeune homme (le galant), une jeune fille (la dame), une servante et un valet bouffon. La pièce va associer ces différents personnages et d'autres selon différents scénarii : les jeunes contre les parents, les valets contre les maîtres…

Le valet bouffon, le personnage le plus original du théâtre espagnol, joue plusieurs rôles : il doit mettre en valeur les qualités du jeune homme, être le lien entre l'acteur et les spectateurs, enfin il est le porte-parole de l'auteur.

Illustration pour une édition de la tragi-comédie La Célestine, *de Fernando de Rojas. Bibliothèque de l'Arsenal. Collection Rondel, Paris.*

Une fin heureuse

Tout se finit toujours bien, même si l'histoire a mal débuté. C'est tout l'art de la tragi-comédie : une tragédie qui se finit comme une comédie.

Un long poème

La liberté du sujet est totale mais l'auteur doit respecter deux règles : faire tenir l'action en trois journées et écrire la pièce en vers. La pièce doit commencer par un prologue qui présente les intentions de l'auteur et comporter un final qui dissipe l'illusion théâtrale. Le texte l'emporte sur la mise en scène qui fait l'objet de peu d'efforts.

Cervantès (1547-1616) décrit ainsi le matériel du comédien : « Tout l'équipement d'un acteur tenait dans un sac : quatre vestes de peau de mouton, quatre fausses barbes et perruques, la scène elle-même se composant de quatre bancs sur lesquels étaient posées quelques planches. »

Des décors médiocres

Le décor se réduit à deux toiles peintes tendues derrière la scène, la première représente l'intérieur du lieu où est censée se passer l'action, et la seconde l'extérieur. Ce n'est que beaucoup plus tard que le goût italien pour le trompe-l'œil et pour les effets de perspective arrivera en Espagne. Les costumes sont eux aussi simples et sans fioriture.

Des troupes itinérantes

Les acteurs se rassemblent en troupe autour de l'auter, à la fois metteur en scène et administrateur. Se déplaçant de ville en ville, ils vivent de peu car les pièces sont mal payées, et ils ne bénéficient

LES GRANDS NOMS DU SIÈCLE D'OR

Portrait de Lope de Vega.
Bibliothèque nationale de Paris.

➡ Lope de Vega (1562–1635)

Il fixe la forme définitive de la tragi-comédie (3 actes et 3 000 vers).
Parmi son œuvre considérable – 2 400 pièces – citons : *l'Alcade de Zalaméa*,
l'Hameçon de Phénice, *le Chien du jardinier*… On raconte qu'il pouvait
écrire une pièce en trois jours. Il en oubliait de manger et de dormir !

➡ Tirso de Molina (1583–1648)

Il entre à l'âge de 18 ans dans les ordres, il participe à la vie littéraire
de son temps. Il écrit des comédies, des drames historiques, roma-
nesques ou religieux, au total près de 300 pièces publiées : *Don Gil aux
chaussures vertes*, *la Sagesse d'une femme*, *le Trompeur de Séville*…

➡ Calderón de la Barca (1600–1681)

Il débute une carrière militaire, puis la quitte pour entrer dans les
ordres et devenir chapelain principal du roi. Son œuvre compte 80
auto-sacramentales et 111 *comedias*. Sa pièce la plus jouée en France
est *La vie est un songe*.

pas encore de la protection d'un riche seigneur. Cervantès témoigne : « L'ornement du théâtre consistait en une vieille couverture que l'on tendait d'un côté à l'autre avec des ficelles… Derrière étaient les musiciens qui chantaient sans guitare quelque vieille romance. »

Dans la rue

Les théâtres n'existent pas encore. Avant chaque représentation, les comédiens disposent leurs tréteaux et leurs planches au milieu d'une rue, en pleine journée, et jouent devant les passants rassemblés.

Dans des cours intérieures

Les congrégations religieuses touchent un pourcentage sur la recette de la troupe, somme destinée à leurs œuvres de charité.

Voyant le succès du théâtre de rue, les congrégations religieuses ouvrent, à partir de 1580, des lieux réservés aux représentations : une cour intérieure où est installée une estrade. On appelle ces

La Célestine. *Bibliothèque de l'Arsenal. Collection Rondel, Paris.*

La Célestine. *Bibliothèque de l'Arsenal. Collection Rondel, Paris.*

lieux les *corrales*. Ainsi à Madrid deux théâtres en plein air voient le jour, le théâtre de la Croix et le théâtre du Prince.

Sur des chaises ou aux fenêtres

Les spectateurs prennent place sur des chaises disposées devant l'estrade ou même directement sur la scène, certains restent debout. Ils peuvent également se mettre aux fenêtres des maisons qui donnent sur la cour. Les grands seigneurs s'installent derrière les fins grillages des fenêtres du rez-de-chaussée, ainsi personne ne peut les voir. Les loges pour les plus aisés, le parterre pour le peuple !

Tout le monde et tous les jours

Les acteurs jouent tous les jours sauf pendant le Carême. Le prix des places étant très bas, tout le

L'enthousiasme populaire gagne toute l'Espagne, des salles s'ouvrent à Valence, Saragosse et Séville. En 1636, Madrid possède 40 théâtres.

Les femmes doivent rester à l'écart des hommes ; elles ont une galerie réservée.

monde peut se permettre d'assister au spectacle. Les *corrales* peuvent accueillir jusqu'à 2 000 personnes, de toutes les couches de la société.

Si les spectateurs savent applaudir pour manifester leur enthousiasme, ils n'hésitent pas non plus à jeter des fruits pourris ou des pétards pour exprimer leur ennui, leur déception ou leur colère, quand le spectacle leur déplaît.

Jean-Louis Barrault dans **Le Cid,** *en 1985.*

Des théâtres privés

Les grands seigneurs se font construire des théâtres privés. Ce sont des endroits couverts qui adoptent l'organisation de la salle à l'italienne. Les décors sont variés et, à partir de 1610, on accroche des toiles en trompe-l'œil et on sépare la scène du reste de la salle par un beau et lourd rideau. Ces théâtres bénéficient également des avancées technologiques du moment comme les machineries qui permettent de créer une meilleure illusion dramatique.

Des figures éternelles

Le Siècle d'or est peut-être de courte durée mais sa richesse est inestimable. Les auteurs de tous les pays viendront puiser, ici ou là, un personnage pour en faire le héros de leur pièce. Corneille y trouvera Le Cid, Molière Don Juan. Les Romantiques anglais, allemands et français, séduits par cette liberté de création, prendront comme modèle ce théâtre où tout peut être représenté sur scène !

Le Cid est une figure importante de l'histoire espagnole. Il vécut au XIe siècle. Ses exploits firent de lui une légende qui inspira de nombreux auteurs.

7

AU TEMPS DE MOLIÈRE

Le théâtre français du XVIᵉ au XVIIIᵉ siècle

Les derniers saltimbanques

En France, dès le XVIᵉ, les spectacles de rue deviennent plus rares. De temps en temps lors d'une foire, une petite troupe monte des tréteaux et divertit l'assemblée ; ou bien à Paris, ce sont les bateleurs du Pont-Neuf qui égaient les foules et réjouissent le jeune Molière, âgé de sept ou huit ans.

Jouer à l'intérieur

Le jeu de paume est l'ancêtre du tennis, il se joue avec une raquette dans un terrain couvert.

Dorénavant les acteurs jouent à l'intérieur. On aménage une salle de jeu de paume ou de château, s'organisant comme on peut dans cet espace rectangulaire et étroit. Il vaut mieux être placé devant, car les spectateurs du fond ne voient rien ! Bien vite des théâtres dignes de ce nom sont construits : l'hôtel de Bourgogne (1543) et le théâtre du Marais (1629). La scène est alors installée sur une estrade surélevée.

Payer pour voir

La qualité des places dépend du prix que l'on est prêt à débourser pour son billet. À moindre frais, on accède au parterre, on reste debout, au milieu des cris et des commentaires que lancent les autres spectateurs. Ceux qui peuvent payer plus cher s'installent dans une loge ou sur une galerie et profitent ainsi pleinement du spectacle.

C'est seulement en 1782 que l'on pense à installer des sièges au parterre pour éviter les bousculades. La première salle à en bénéficier est la salle parisienne qui s'appelle aujourd'hui l'Odéon.

Le théâtre de Tabarin sur la place Dauphine, à deux pas du Pont-Neuf.

Des spectateurs sur scène

Après la fondation de la Comédie-Française (1680), une centaine de spectateurs peuvent être sur scène ! Plus tard, ils seront plus de 200 et gêneront le jeu des acteurs. En 1759, cette pratique est supprimée.

Pour suivre la représentation, une troisième solution existe : la scène ! Dans des fauteuils, disposés sur les côtés afin de ne pas gêner les comédiens, prennent place des spectateurs privilégiés (des hommes uniquement !). Ils paient très cher le privilège d'être vus de tous durant la représentation car le rideau de scène n'est jamais baissé. Étant trop près, ils voient mal, mais en revanche ils peuvent glisser des mots doux aux actrices !

Un lieu de rencontres

Les représentations n'ont lieu que trois fois par semaine : le mardi, le vendredi et le dimanche. À partir de 1680, les Comédiens du Roi joueront tous les jours.

Le théâtre remporte un succès fou, c'est la théâtromanie. Les foules se pressent autant pour être diverties que pour se montrer. Elles y passent facilement l'après-midi car un spectacle annoncé pour deux heures ne commence souvent qu'à cinq ! Les femmes affichent leur nouvelle toilette pour faire pâlir d'envie leurs rivales. Quand les violons annoncent l'entracte, tous s'agglutinent à la buvette et grignotent en commentant le spectacle.

Un succès fou

Les spectateurs rendent facilement hommage aux acteurs ou actrices dont ils apprécient les performances. La vie privée des artistes alimentent les conversations et certains noms sont sur toutes les lèvres. Les actrices célèbres de l'époque sont la

Champmeslé, Adrienne Lecouvreur, Mlle Clairon, Madeleine et Armande Béjart (qui deviendra la femme de Molière).

Au ban de l'Église

L'Église adopte une position bien différente et condamne les gens de théâtre qu'elle assimile à des charlatans ! Les comédiens sont donc exclus des sacrements et ne peuvent être enterrés religieusement. Une exception : Molière put être inhumé en terre d'Église, au cimetière Saint-Joseph, grâce à l'intervention de Louis XIV auprès de l'archevêque de Paris. Et encore, l'enterrement eut lieu de nuit et sans personne pour y assister.

En 1730, le corps de l'actrice Adrienne Lecouvreur sera jeté sur la décharge publique car, avant de mourir, elle avait refusé de renier par écrit sa profession.

Des rois protecteurs

Louis XIII puis Louis XIV se passionnent pour le théâtre et prennent la défense de ceux qui

Richelieu, chef du conseil du roi Louis XIII, se fait construire un théâtre chez lui (le Palais Cardinal) et entretient un groupe d'auteurs et d'acteurs.

Louis XIII au Palais Cardinal, *par J. de Saint-Igny. Musée des Arts décoratifs, Paris.*

Peinture du XVIIIᵉ siècle montrant une représentation du **Malade Imaginaire** *de Molière, à Versailles, lors des fêtes de 1674.*

divertissent le peuple et la Cour. Ils cherchent à faire évoluer l'image sociale des comédiens et des auteurs, encore trop souvent considérés comme des personnes méprisables.

Le goût du spectacle

La cour aime les spectacles, Louis XIV fait venir les troupes à Versailles ou dans d'autres châteaux et encourage leur créativité. Molière est sans doute un des comédiens-dramaturges les plus appréciés du roi, qui n'hésite pas à le protéger de ses ennemis.

Molière est le premier à être pensionné du roi, en 1662.

Des revenus à la hauteur des succès

Quand le spectacle marche bien, les comédiens ne sont pas à plaindre, même s'ils ne sont pas pensionnés par le roi. Une fois les différents frais payés (décorateur, ouvreur, lumières), les recettes sont partagées entre les comédiens. Le chef de la troupe et ceux qui sont à la fois auteur et acteur, comme Molière, bénéficient d'une plus grande part. Quand les acteurs abandonnent la scène, ils peuvent parfois toucher une petite rente pour leur retraite.

Chacun son théâtre

Les acteurs s'organisent en troupes et jouent le plus souvent dans le même théâtre. L'hôtel de Bourgogne, l'hôtel du Marais et le Palais-Royal (où est installée la troupe de Molière dès 1660) sont trois hauts lieux du théâtre parisien. Une dizaine de troupes moins importantes circulent en province.

La comédie-ballet

Pour satisfaire le goût de Louis XIV pour la danse, Molière introduit dans ses pièces des ballets écrits par Lully, et il n'est pas rare que le roi participe lui-même au spectacle. Ainsi un nouveau genre théâtral voit le jour : la comédie-ballet, qui rassemble la comédie, la musique et la danse.

Lully (1632-1687) est l'un des musiciens et des compositeurs les plus en vue à la cour de Louis XIV.

L'influence des Anciens

La mode pousse les auteurs à s'inspirer de ce qui se faisait dans l'antiquité chez les Grecs et les Romains. On écrit et on joue des tragédies qui ont pour thème la mythologie grecque ou l'histoire romaine. Molière met en scène des personnages empruntés aux comédies de Plaute : des médecins charlatans, des faux savants, des hypocrites, des avares et toujours le valet rusé qui trompe son maître.

Le théâtre classique

Si les décors sont sobres (une façade de maison, l'intérieur d'un palais, un port), les costumes peuvent être somptueux. Ils proviennent parfois de la garde-robe personnelle d'un seigneur. L'auteur cherche à représenter des actions vraisemblables et non des histoires extraordinaires ou féeriques. Pour être plus près de la réalité, il doit respecter trois règles.

LA RÈGLE DES TROIS UNITÉS

- **L'unité de lieu :** la pièce doit se dérouler, du début jusqu'à la fin, en un seul lieu.
- **L'unité de temps :** l'action doit se passer en un seul jour. Le début de la pièce doit correspondre au matin, et la fin se situer le soir.
- **L'unité d'action :** l'auteur doit raconter une seule histoire et non plusieurs.

TROIS GRANDS AUTEURS CLASSIQUES

➡ Pierre Corneille (1606–1684)

D'abord avocat au parlement de Rouen, Corneille préfère bien vite se consacrer au théâtre. Il fait partie des protégés de Richelieu et est élu à l'Académie française en 1647.

Sa tragédie la plus connue est *Le Cid* mais il s'est illustré par d'autres pièces de grande qualité : *Médée, Cinna, Horace, Rodogune, Nicomède, L'Illusion comique*…

➡ Molière (1622–1673)

De son vrai nom Jean-Baptiste Poquelin, Molière est l'un des plus grands dramaturges français. Il reste un modèle et une référence. Son père voulait le faire tapissier du roi, mais il aime trop le théâtre pour s'en éloigner ! Il abandonne ses études de droit et se joint à la troupe des Béjart avec qui il crée *L'Illustre Théâtre*. La troupe parcourt la province avant de s'installer à Paris et d'être protégée par le roi.

Ses comédies sont toujours autant appréciées aujourd'hui : *Les Fourberies de Scapin, Le Médecin malgré lui, L'Avare, Le Bourgeois gentilhomme, Le Malade imaginaire*. Il écrit aussi des pièces plus sérieuses : *Don Juan, Le Misanthrope* ou *Tartuffe*.

➡ Jean Racine (1639–1699)

Racine s'impose rapidement comme dramaturge de talent. Ses tragédies lui permettent d'être reconnu par Louis XIV, qui le nomme historiographe du roi. Il abandonne alors le théâtre pour sa nouvelle fonction.

Ses pièces sont le modèle de la tragédie classique et du respect de la règle des trois unités : *Andromaque, Phèdre, Bérénice, Britannicus*…

Le personnage de Sganarelle dans L'École des maris, de Molière.

LE CID – Corneille
Acte I, scène 4 (extrait)

Don Diègue - Ô rage ! ô désespoir! ô vieillesse ennemie!
N'ai-je donc tant vécu que pour cette infamie ?
Et ne suis-je blanchi dans les travaux guerriers
Que pour voir en ce jour flétrir tant de lauriers ?
Mon bras, qu'avec respect toute l'Espagne admire,
Mon bras, qui tant de fois a sauvé cet empire,
Tant de fois affermi le trône de son roi,
Trahit donc ma querelle, et ne fait rien pour moi ?
Ô cruel souvenir de ma gloire passée !
Œuvre de tant de jours en un jour effacée !
Nouvelle dignité fatale à mon bonheur !
Précipice élevé d'où tombe mon honneur !
Faut-il de votre éclat voir triompher le Comte,
Et mourir sans vengeance, ou vivre dans la honte ?

Acte I, scène 5 (extrait)

Don Diègue - Viens me venger.

Don Rodrigue - De quoi ?

Don Diègue - D'un affront si cruel,

Qu'à l'honneur de tous deux il porte un coup mortel :
D'un soufflet. L'insolent eût perdu la vie;
Mais mon âge a trompé ma généreuse envie:
Et ce fer que mon bras ne peut soutenir,
Je le remets au tien pour venger et punir.
[...]
Venge-moi, venge-toi ;
Montre-toi digne fils d'un père tel que moi.
Accablé des malheurs où le destin me range,
Je vais les déplorer : va, cours, vole et nous venge.

Molière, acteur de talent

Molière est lui-même un acteur de talent, il a beaucoup appris des Italiens. Ses qualités de mime sont remarquables. Il entre sur scène les pieds largement écartés, comme le fera plus tard Charlot ! Sa démarche et sa manière de parler ou de tousser font rire tout le monde. Il joue le plus souvent le rôle du valet, du médecin ou du vieillard.

Portrait de Molière.

Des comédies à rebondissements

Mais Molière n'est pas le seul à briller par ses pièces. Beaumarchais (1732-1799) connaît la célébrité par ses comédies à rebondissements. Ses pièces *Le Barbier de Séville* et *Le Mariage de Figaro* restent inscrites comme des triomphes de drôlerie et d'audace, car il n'hésite pas à attaquer le régime en place et à critiquer la censure.

Molière était gravement malade mais il continuait à jouer et n'hésitait pas à utiliser sa toux pour faire rire les spectateurs. Il mourut peu après une représentation du *Malade imaginaire*.

Succès en Europe

Le succès du théâtre français parcourt l'Europe et de nombreux auteurs, en Espagne, en Italie et en Angleterre, s'inspirent de ce qui se joue en France. Mais rares sont ceux qui égalent leurs modèles. Il faut dire que le XVIIᵉ siècle est marqué par de très grandes figures : Corneille, Racine et Molière. Bientôt, de jeunes auteurs décident d'écrire autrement, de tourner la page ! La Révolution française va leur donner un nouvel élan !

8

LE GOÛT DU SPECTACULAIRE

Le théâtre en France au XIXᵉ siècle

Aux frais de la République

À Paris, on compte une dizaine de théâtres en 1789, 14 en 1791 et 35 en 1792. Ces chiffres varient car la concurrence est grande. D'une semaine sur l'autre, un théâtre peut ouvrir, un autre fermer ! Sous l'Empire (1830), malgré une surveillance plus sévère, il y a toujours une trentaine de théâtres à Paris.

En 1793, la Convention annonce par décret que certaines représentations seront données aux frais de la République, donc gratuites ! L'État permet à tous d'aller au théâtre, comme dans l'Antiquité, car il est persuadé que le théâtre est la nouvelle école du peuple. Les spectateurs doivent être touchés par la grandeur des héros nationaux et révolutionnaires qui sont représentés sur scène.

De plus en plus de théâtres

La Révolution française modifie sensiblement la vie culturelle française, on cherche à y promouvoir l'égalité. Ainsi tout citoyen peut ouvrir son théâtre après l'avoir déclaré à la police. Les salles se multiplient et des monuments imposants se construisent sous la direction d'architectes de renom. Chaque grande ville peut s'enorgueillir de posséder son théâtre.

La scène à l'italienne

À l'intérieur, la salle est souvent en demi-cercle, ou en fer à cheval, sur le modèle des théâtres italiens. Tous les spectateurs sont désormais assis. La présence des bustes des héros révolutionnaires sur scène reflète les idées politiques de l'époque.

Des théâtres subventionnés

Certains théâtres, aidés par l'État qui leur verse d'importantes subventions, défendent le théâtre

Charles de Wailly et Marie-Joseph Peyre signent le premier grand théâtre parisien, le théâtre de l'Odéon, dont la façade est dessinée selon le modèle antique.

En 1863, le Théâtre-Français reçoit 240 000 francs (soit 36 588 euros) et l'Odéon 100 000 francs (soit 15 245 euros), sommes importantes pour l'époque mais encore faibles comparées à celle que perçoit l'Opéra : 620 000 francs (soit 94 518 euros) !

Façade du théâtre de Bordeaux,
construit par Victor Louis de 1773 à 1780.

Salle de la Comédie-Française, inaugurée le 15 mai 1710. Gravure de Guadet. Bibliothèque de l'Arsenal. Collection Rondel, Paris.

En plus des comédies de Molière, on apprécie les pièces de Marivaux (1688-1763) qui est l'auteur de nombreuses comédies amoureuses, amusantes et pleines d'esprit : *La Double Inconstance, Le Jeu de l'amour et du hasard, Les Fausses Confidences*.

classique. Ils sont surtout fréquentés par une population aisée et cultivée, les prix étant élevés et les pièces parfois difficiles voire ennuyeuses.

Le drame romantique

La jeune génération, appelée souvent celle de 1830, a été fortement marquée par la Révolution française. Elle refuse la séparation des genres et veut jouir d'une liberté absolue. Les nouveaux auteurs font voler en éclats la règle des trois unités. Fortement inspirés de Shakespeare et du Siècle d'or espagnol, ils mêlent le sublime (la noblesse des sentiments, la beauté, la grandeur) et le grotesque (le rire et la laideur).

Des thèmes renouvelés

Les dramaturges romantiques choisissent pour thème de leurs pièces des passages de l'histoire nationale ou étrangère. Leur héros est souvent révolté, confronté à l'amour passionnel et à la mort. C'est un théâtre des passions et de l'excès qui fit scandale à l'époque chez les défenseurs de la tradition classique. Une bataille s'engage alors...

La liberté du privé

Les théâtres privés (le théâtre de la Porte-Saint-Martin, le théâtre Montparnasse, le théâtre Montmartre, le théâtre des Batignolles...) dépendent uniquement des recettes. Ils choisissent donc leur programme pour plaire au public qui aime le grand spectacle !

Le théâtre de la Gaîté. Photographie de la fin du XIXᵉ siècle.

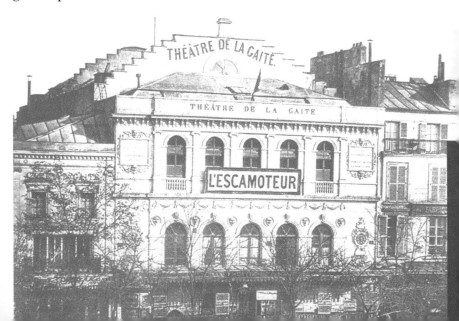

LA BATAILLE D'*HERNANI*

Hernani est une pièce écrite par Victor Hugo, qui eut 39 représentations au Théâtre-Français, du 25 février au 26 avril 1830. Pour la première fois, un drame romantique est monté sur une scène qui accueille habituellement les auteurs classiques !

• Le premier soir, Victor Hugo a mobilisé tous ses amis pour le soutenir et c'est l'affrontement entre la jeune génération des romantiques, appelés souvent les chevelus, et ceux qui défendent la tradition classique. Dans la salle, le tumulte est immense, les bravos alternent avec de bruyants coups de sifflet. Finalement la police est obligée d'intervenir. Mais les romantiques ont gagné la bataille : désormais le drame romantique aura sa place dans le théâtre français.

• Victor Hugo, Alexandre Dumas, Alfred de Musset continueront à écrire des drames romantiques, mais souvent difficiles à monter : trop de lieux, de personnages... Si bien que la plupart de leurs pièces ne seront jouées qu'un siècle plus tard !

LES ROMANTIQUES AU THÉÂTRE

Victor Hugo (1802-1885)

Victor Hugo est une grande figure de la littérature française. Son théâtre est marqué par la volonté de ne plus se soumettre aux règles traditionnelles. Parmi ses œuvres théâtrales, citons *Marion Delorme, Hernani, Ruy Blas, le Roi s'amuse, Lucrèce Borgia*.

Alexandre Dumas (1802-1870)

Alexandre Dumas est un écrivain français qui a énormément écrit : on lui doit 300 œuvres. Connu pour *Les Trois Mousquetaires* et *Le Comte de Monte-Cristo*, il remporta également un grand succès avec ses drames romantiques : *Henri III et sa cour, Antony, La Tour de Nesle* et *Kean*.

Alfred de Vigny (1797-1863)

Alfred de Vigny publie ses premiers poèmes romantiques à 23 ans. Il se lance peu après dans l'expérience théâtrale avec *Chatterton*, composé pour sa maîtresse l'actrice Marie Dorval. Il y reprend un thème qui lui est cher : la solitude. Autre pièce connue : *Stello*.

Alfred de Musset (1810-1857)

Alfred de Musset est une grande figure du romantisme français. Ses pièces de théâtre fascinent par leur fantaisie : tous les genres s'y mêlent. On peut citer *Les Caprices de Marianne, On ne badine pas avec l'amour*, et surtout *Lorenzaccio* qui remporta un immense succès au xxe siècle.

La Première d'Hernani, avant la bataille, *par Albert Besnard, 1903*.
Maison de Victor Hugo, Paris.

Le mélodrame est un genre théâtral populaire qui se caractérise par l'invraisemblance de l'intrigue et des situations. Les sentiments (colère, amour, ressentiment…) sont exacerbés. Une musique adéquate souligne l'intensité dramatique de certains épisodes.

Le boulevard du Crime

À Paris, l'ancien boulevard du Temple est rebaptisé « le boulevard du Crime » à cause des pièces représentées dans les nombreux théâtres qui s'y trouvent (les crimes ont lieu sur scène). Chaque soir, une foule immense envahit les lieux en quête d'émotions fortes ! Les pièces plaisent par leurs rebondissements : crimes, catastrophes, retrouvailles, duos amoureux se succèdent. Le mélodrame est né !

Un lieu très animé

Même si les « crimes » se déroulent à l'intérieur, l'agitation qui règne sur le boulevard, où les acteurs attirent les clients en interpellant les passants, déplaît au pouvoir. En 1862, le baron Haussmann fait raser le boulevard du Temple pour construire l'actuelle place de la République. D'autres théâtres populaires vont voir le jour dans Paris, mais leur éloignement les uns des autres ne permet pas de restaurer l'atmosphère si particulière du boulevard du Crime !

Le baron Haussmann, préfet de la Seine de 1853 à 1870, conçut le Paris moderne. Il voulait faire de la capitale une ville de prestige, et pour cela il fit détruire les quartiers qu'il jugeait insalubres ou malfamés.

À la recherche d'effets spectaculaires

Les effets spéciaux font leur entrée au théâtre. On n'hésite pas à recourir aux trucages et aux machineries de plus en plus sophistiquées pour mettre en scène des tableaux spectaculaires. Des tempêtes, des tremblements de terre, des éruptions volcaniques font vibrer les planches ! Sous les yeux des spectateurs ébahis, l'héroïne est enlevée par un char volant !

De nouveaux métiers

Pour satisfaire ce goût des grands effets, les acteurs font appel à de nouveaux partenaires et de nouveaux métiers naissent : éclairagiste, décorateur, costumier, écuyer… Une troupe peut désormais accueillir cent personnes ! Le spectacle dépend aussi de ceux qui ne sont pas sur scène.

Les lampes à huile permettent de jouer le soir. On n'est plus obligé d'utiliser la lumière du jour. L'éclairage au gaz, introduit en 1822, entraîne un grand progrès. Les courants d'air ne risquent plus de plonger la salle dans l'obscurité.

Tout pour les yeux

Les scènes grandioses qui attirent la foule ne seraient rien sans la beauté des décors et l'art du costume. Le spectaculaire doit être partout, dans les moindres détails.

Les costumes, taillés dans de riches étoffes, ornés de broderies et de perles, donnent aux acteurs une grandeur intouchable dont le public raffole.

Des décors variés

Tous les décors sont permis: la forêt, le château fantastique, la mer… Le passage d'un univers à l'autre renforce la magie du spectacle. Des décorateurs professionnels sont mis à contribution, ils organisent la mise en scène, supervisent des

Les costumes trop lourds ne convenant pas aux danseurs de ballets, on utilise pour la première fois des tutus qui donnent aux danseuses une légèreté aérienne, féérique.

cortèges de plusieurs dizaines de figurants aux riches costumes, souvent accompagnés d'animaux : lévriers, faucons, et même des chevaux !

Les jeux de lumière

En 1880, l'électricité entre en scène ! Les jeux de lumières, mis au point par les éclairagistes, sont très appréciés du public : un brouillard vaporeux pour une ambiance mystérieuse ; des éclairages rouges et aveuglants pour un incendie ; une lumière feutrée pour une romance…

Les acteurs sont éclairés par le bas grâce à la lumière de la rampe, ces petites lampes alignées sur toute la longueur de l'estrade, on les appelle les feux de la rampe.

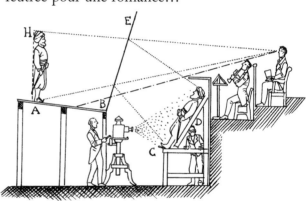

Le savoir-faire de l'éclairagiste (spectre).

Un théâtre sonore

La musique n'est plus réservée à l'opéra ou aux comédies-ballets, dorénavant, elle précède ou accompagne certaines scènes : déclaration d'amour, événement tragique ou renversement de situation… Une grande place est faite aux bruitages. Des machines sonores sont mises au point pour imiter les roulements du tonnerre, le craquement d'un arbre traversé par la foudre, le crépitement des flammes, le roulement de la pluie ou de la grêle…

Le rôle du metteur en scène

La mise en scène consiste à organiser le spectacle. Il s'agit de diriger les acteurs, d'harmoniser costumes et lumières, de prévoir la musique ou les bruitages qui rythmeront la représentation. C'est le plus souvent l'auteur qui s'en charge, épaulé par le décorateur ou par le machiniste. Son rôle ne se limite pas seulement à l'écriture de la pièce, il a un œil sur tout. Par exemple, Victor Hugo s'entoure de peintres connus et de décorateurs célèbres pour monter ses pièces. Il dessine lui-même certains costumes et esquisse des plans de scène.

L'expression technique « mise en scène » apparaît à cette époque.

Dessin de Victor Hugo pour **Les Burgraves.**

La lithographie est un procédé inventé en 1796 qui permet d'imprimer un dessin « gravé » sur une plaque de pierre. C'est plus économique que la gravure traditionnelle sur cuivre.

Des affiches colorées

À l'époque de Molière, les affiches sont de tailles réduites (40 cm x 50 cm). Seul le titre y figure en caractères d'imprimerie, il n'y a pas de dessin. Grâce au principe de la lithographie, les affiches sont maintenant illustrées. On peut les colorer et représenter plusieurs scènes du spectacle dans des médaillons. Certains peintres de talents reproduisent et fixent ainsi dans les esprits le physique des acteurs qui deviennent alors immortels.

Les colonnes Morris

Afin d'attirer l'attention d'un plus grand nombre de personnes, les affiches annonçant les spectacles du jour ou de la semaine ne sont plus seulement collées à l'entrée des théâtres. On les voit désormais dans les rues de Paris, grâce aux colonnes imaginées par l'imprimeur Morris. Ces colonnes exposent partout dans Paris leur petit dôme vert et informent des spectacles qui se jouent dans la capitale. Ces hautes colonnes peuvent abriter de grandes affiches : ainsi le peintre Mucha peint-il ses modèles (par exemple Sarah Bernhardt) grandeur nature, soit 1,60 m x 0,50 m !

En 1868, 150 colonnes Morris sont disposées dans Paris ; aujourd'hui on en compte plus de 700 !

Alfons Mucha (1860-1939), peintre et dessinateur tchèque, a immortalisé Sarah Bernhardt. Ses affiches ses bijoux, ses illustrations ont fait de lui, entre 1894 et 1904, un des artistes phares de l'art nouveau.

Les monstres sacrés

La fin du XIXe siècle et le début du XXe est l'époque des stars du théâtre qui attirent les foules. Le

Sarah Bernhardt joue L'Aiglon *de Rostand.*
Bibliothèque de l'Arsenal, Paris.

public se déplace pour voir et écouter les vedettes qui ne cessent de faire parler d'elles. Leur succès repose sur leur talent et sur leur aisance à être des artistes complets. Ils travaillent leur voix, leur agilité (l'acteur brille dans l'art de la pantomime, immortalisée par le rôle de Pierrot), leur sensibilité pour mimer toujours au plus juste la vie qu'ils jouent sur scène.

Le romancier Théophile Gautier présente ainsi Marie Dorval : « Elle a donné un sens aux mots qui n'en avaient pas, et changé en cris de l'âme les phrases les plus insignifiantes. Des choses nulles dans toute autre bouche, dites par elle, donnent la chair de poule à toute la salle. Avec les simples mots Que me voulez-vous ? Mon Dieu ! Que je suis malheureuse, elle fait pleurer et frissonner. »

Quelques stars de l'époque : Talma, grand acteur de tragédie, apprécié de Napoléon Ier ; Frédérick Lemaître, acteur de mélodrame, qui joua le rôle de *Ruy Blas* (Victor Hugo) ; Mlle Mars, actrice favorite de Napoléon Ier ; Rachel, actrice tragique ; Marie Dorval, héroïne romantique ; Coquelin, célèbre pour avoir joué *Cyrano de Bergerac* ; Sarah Bernhardt, dont le plus grand rôle fut celui de *L'Aiglon* (Edmond Rostand).

Adulés et capricieux

Le public curieux veut tout savoir de ces grands acteurs qu'il vient applaudir ! Leurs faits et gestes occupent plusieurs pages des journaux. Leur popularité rend certains acteurs capricieux, parfois odieux. Ils exigent des pièces sur mesure, n'en font qu'à leur tête, se moquant des conseils de l'auteur ou du metteur en scène !

Le rôle de la claque

Plus les applaudissements sont nourris et bruyants, plus l'acteur se sent réconforté : son interprétation a donc plu. Certains ont l'idée de forcer la spontanéité des spectateurs en les poussant à applaudir. Un groupe de spectateurs, appelé « la claque », est payé pour applaudir, siffler, gémir, s'émouvoir à des moments précis de la pièce qui lui ont été dictés. L'auteur choisit les membres de la claque avec soin, le succès de sa pièce en dépend. Ils sont placés à des endroits stratégiques, afin d'entraîner les autres spectateurs à suivre leurs réactions.

Le vaudeville est, à l'origine, une petite comédie légère et amusante qui fait alterner parties chantées et scènes parlées. Elle donnera naissance à l'opérette.

Un genre nouveau : la comédie de mœurs

Appelée également vaudeville, la comédie de mœurs est une satire de la vie bourgeoise. L'intrigue, centrée sur l'argent et l'amour, est invraisemblable et enjouée. C'est le règne de la caricature, des quiproquos hilarants, des rebondissements imprévisibles et des jeux de mots. Il s'agit de faire rire, non de réfléchir. Ce genre théâtral qui prend parfois un autre nom, le théâtre de boulevard, remporte aujourd'hui encore un franc succès !

Le peuple au théâtre d'après **Les Enfants du Paradis,** *film de Marcel Carné.*

LES MAITRES DU VAUDEVILLE

▶ Eugène Labiche (1815–1888)

Eugène Labiche est un auteur de vaudevilles qui amuse encore aujourd'hui. Ses succès sont : *Un chapeau de paille d'Italie*, *La Poudre aux yeux*, *Le Voyage de Monsieur Perrichon*.

▶ Georges Feydeau (1862–1921)

Georges Feydeau, un des grands auteurs comiques du XXe siècle, a été parfois comparé à Molière pour son art des quiproquos et des poursuites. Ses pièces les plus connues sont : *La Dame de chez Maxim*, *Le Dindon*, *Occupe-toi d'Amélie*, *Feu la mère de Madame*, *On purge Bébé*, *Mais n'te promène donc pas toute nue !*

▶ Georges Courteline (1858–1929)

Georges Moinaux, dit Courteline, excelle dans l'art de la caricature de l'armée et de la bureaucratie. Ses pièces les plus connues : *Messieurs les ronds-de-cuir*, *Boubouroche* et *Le gendarme est sans pitié*.

Affiche de **La Dame de chez Maxim,**
de Feydeau.

LE TRIOMPHE DE CYRANO
Edmond Rostand – Acte I, scène 4 (extrait)

Cette pièce d'Edmond Rostand (1868-1918) eut un énorme succès en 1897 et continue aujourd'hui d'enchanter le public.

Voici un extrait de la fameuse tirade du nez.

Le Vicomte - Vous … vous avez un nez… heu… un nez … très grand.

Cyrano, *gravement* - Très.

Le Vicomte, *riant* - Ha !

Cyrano, *imperturbable* - C'est tout ?…

Le Vicomte - Mais…

Cyrano - Ah ! non ! c'est un peu court, jeune homme !
On pouvait dire… Oh ! Dieu !… bien des choses en somme…
En variant le ton - par exemple, tenez :
Agressif : « Moi, monsieur, si j'avais un tel nez,
Il faudrait sur-le-champ que je me l'amputasse ! »
Amical : « Mais il doit tremper dans votre tasse !
Pour boire, faites-vous fabriquer un hanap ! »
Descriptif : « C'est un roc ! c'est un pic ! c'est un cap !
Que dis-je c'est un cap ?… C'est une péninsule ! »

9

POUR UN THÉÂTRE NOUVEAU

Le théâtre en France de la première moitié du XXe siècle (1890–1945)

Un nouvel élan

En Allemagne, le théâtre, devenu une affaire d'État, est subventionné par des fonds publics. En Russie, l'État prend en charge le financement des théâtres, fixe les prix des places, accorde la gratuité à certains spectateurs.

Conscients qu'il faut renouveler l'esprit du théâtre, des hommes vont faire preuve d'initiative et d'invention pour permettre cette transformation. Les monstres sacrés sont oubliés, la légèreté de leur spectacle méprisée ! On veut du neuf : un théâtre plus intéressant et surtout accessible au plus grand nombre.

À la différence de ses voisins européens, l'État français subventionne peu le théâtre – à l'exception de la Comédie-Française, l'Odéon, l'Opéra et l'Opéra-Comique. Malgré le manque de moyens, plusieurs salles s'ouvrent loin de Paris.

L'incendie de la Comédie-Française en mars 1900.

C'est donc en province que les projets les plus originaux voient le jour.

Le théâtre ambulant

Firmin Gémier pense que le théâtre doit aller à la rencontre de ceux qui habitent à la campagne. C'est pourquoi il crée une troupe itinérante, le Théâtre national ambulant, et adopte le principe du cirque en se produisant sous un chapiteau démontable. Il ne cherche pas à s'enrichir, mais à créer de vrais liens avec le public.

Le Théâtre national ambulant (créé en 1911-1912) est constitué de 38 voitures et d'une salle mobile pouvant accueillir 1 650 personnes.

Pour un public populaire

Maurice Pottecher se lance lui aussi dans l'aventure. Il crée de son côté un théâtre d'été, le théâtre du Peuple (1895), dans son village natal des Vosges, Bussang, où vivent 2 500 personnes. Il écrit des pièces, *Le Diable marchand de goutte*, *La Liberté*, avec la participation des habitants qui en sont aussi les acteurs. La troupe donne des représentations deux fois par an. Cette première tentative pour toucher un public nouveau, le peuple, continue encore aujourd'hui.

Toucher le peuple parisien

Louis Lumet veut amener au théâtre un public populaire et ouvrier. Il fonde le théâtre Civique (1897), dont les représentations sont gratuites. Un peu plus tard, le théâtre du Peuple ouvre à Belleville ; la salle peut accueillir 1 000 personnes et les places sont cinq fois moins chères que dans les autres théâtres parisiens.

Le premier théâtre national populaire

En 1920, Firmin Gémier obtient une aide de l'État pour créer un théâtre national populaire qui s'installe dans la salle du Trocadéro. Cette salle de 5 000 places, se révélant ingérable faute de subventions suffisantes, fermera en 1935. Le théâtre national populaire s'installera à Chaillot deux ans plus tard.

Le renouveau de la mise en scène

L'auteur allemand Bertolt Brecht aura aussi une très grande influence sur ce renouveau. Il met au point la notion de théâtre « épique ». Il demande à l'acteur de ne pas mettre à distance le personnage qu'il incarne sur scène, et réclame du public un regard critique et objectif.

Agacés par les caprices des stars et leur cabotinage excessif, de jeunes metteurs en scène et auteurs d'avant-garde réaffirment leur volonté de mettre l'acteur au service du texte et de la mise en scène, et non l'inverse. Dès 1890, plusieurs fortes personnalités émergent : André Antoine, Aurélien Lugné-Poe, Jacques Copeau et le Cartel des quatre, Gaston Batty, Georges Pitoëff, Charles Dullin et Louis Juvet, des noms qui passeront à la postérité.

DE GRANDS METTEURS EN SCENE

➜ André Antoine (1858–1943)

Antoine fonde en 1867 le Théâtre-Libre. Il considère que la scène est un espace de vie et défend un théâtre réaliste. Les décors doivent être vrais et non éblouissants, les costumes faits non pour valoriser l'acteur mais pour l'habiller en fonction de son rôle. Son influence sur le théâtre contemporain est immense.

➜ Aurélien Lugné-Poe (1869–1940)

Lugné-Poe fonde le théâtre de l'Œuvre en 1893. Contrairement à Antoine, il pense que le théâtre est un art et non une reproduction de la vie. Ses décors sont réalisés par des peintres de l'époque : Gauguin, Bonnard... Ses acteurs récitent et ne doivent pas reproduire les accents naturels de la voix. C'est le « théâtre symboliste », en opposition au théâtre réaliste.

➜ Jacques Copeau (1879–1949)

Copeau crée en 1913 le théâtre du Vieux-Colombier qui ne restera ouvert que huit mois, car la Première Guerre mondiale éclate. Pourtant, sa pratique théâtrale va durablement marquer l'histoire du théâtre. Pour lui, la scène doit être aussi vide que possible, car l'action prime sur le décor. L'atmosphère naît du jeu des comédiens qui doivent posséder une grande maîtrise de leur corps.

➜ Le Cartel des quatre

Le Cartel est un groupe formé de 1927 à 1940 par les quatre metteurs en scène : **Gaston Baty**, **Georges Pitoëff**, **Charles Dullin** et **Louis Jouvet**. Tous quatre ont des idées proches de celles de Copeau, et veulent lutter contre le théâtre commercial. Ils mettent au point un système d'abonnements afin de fidéliser le public. Ils n'ont pas fondé un mouvement, mais ils ont lutté ensemble pour un théâtre de qualité.

La pièce qui fit scandale

Alfred Jarry (1873-1907) commence par écrire de la poésie, puis se tourne vers le théâtre. L'histoire du théâtre moderne est marquée par le scandale d'*Ubu Roi*, pièce qu'il écrivit à quinze ans. Il en donna une double suite : *Ubu enchaîné* et *Ubu cocu*.

Le 10 décembre 1896, au théâtre de l'Œuvre, *Ubu Roi*, une pièce d'un jeune auteur, Alfred Jarry, est à l'affiche. La pièce dérange et agace par son aspect loufoque et provocateur. Lors de la première, les spectateurs hurlent et les journalistes quittent la salle avant la fin ! Ce jeune auteur frondeur refuse de faire du théâtre un miroir de la vie quotidienne. Il laisse libre cours à son imagination et à son insolence. Il a introduit des chansons, des cris, des mimes au milieu de ses textes. L'expérience d'*Ubu Roi* marquera d'autres auteurs, romanciers, poètes ou dramaturges du XXᵉ siècle.

Des auteurs étrangers

Les nouveaux metteurs en scène veulent rompre avec la tradition qui dit : « en France, on joue français ! » Animés par une immense curiosité, ces novateurs introduisent en France des auteurs étrangers de très grande qualité : les Scandinaves – Ibsen et Strindberg – ; les Russes – Tchekhov et Gorki – ; les Italiens – Goldoni et Pirandello – ; et on redécouvre Shakespeare.

Un théâtre engagé

Des ouvriers décident d'utiliser la scène pour défendre leurs droits face au patronat. Ils fondent en 1931, la Fédération du théâtre ouvrier, en

UBU ROI – Alfred Jarry

Acte III, scène 7 (extrait)

Ubu s'est débarrassé de la famille du roi de Pologne pour prendre le trône. Il préside une séance du Conseil.

Père Ubu - Madame de ma merdre, garde à vous, car je ne souffrirai pas vos sottises. Je vous disais donc, messieurs, que les finances vont passablement. Un nombre considérable de chiens à bas de laine se répand chaque matin dans les rues et les salopins font merveilles. De tous côtés on ne voit que des maisons brûlées et des gens pliant sous le poids de nos phynances.

Le Conseiller - Et les nouveaux impôts, monsieur Ubu, vont-ils bien ?

Mère Ubu - Point du tout. L'impôt sur les mariages n'a encore produit que onze sous, et encore Père Ubu poursuit les gens partout pour les forcer à se marier.

Père Ubu - Sabre à finance, corne de ma gidouille, madame la financière, j'ai des oneilles pour parler et vous une bouche pour m'entendre. Ou plutôt non ! Vous me faites tromper et vous êtes cause que je suis bête !

Denis Lavant dans le rôle d'Ubu Roi à Avignon, mis en scène par Bernard Sobel.

DES AUTEURS ÉTRANGERS

⮕ Henrik Ibsen (1828-1906)

Ibsen est un écrivain norvégien qui connut des débuts difficiles. Son chef-d'œuvre, *Peer Gynt*, lui assure un très grand succès qui lui permet de poursuivre sa carrière. On lui doit aussi d'autres pièces connues : *La Maison de poupée*, *Quand nous nous réveillerons d'entre les morts*. L'influence de son œuvre sur le théâtre contemporain est immense.

⮕ August Strindberg (1849-1912)

Strindberg est un écrivain suédois qui fut tour à tour acteur, instituteur et journaliste. Il se fait connaître en France par ses pièces de théâtre : *Père* et *Mademoiselle Julie* qui triomphent à Paris en 1893. Il écrivit également des drames historiques : *Gustave Vasa* et *Eric XIV*.

⮕ Anton Tchekhov (1860-1904)

Tchekhov est un écrivain russe qui voyagea beaucoup en Europe. Il écrivit des nouvelles et des pièces de théâtre. Ses chefs-d'œuvre sont *La Mouette*, *Oncle Vania*, *Les Trois Sœurs*, *La Cerisaie*.

⮕ Maxime Gorki (1868-1936)

Gorki est un écrivain russe. Dans ses pièces de théâtre : *Les Petits Bourgeois*, *Les Bas-Fonds*, *Les Ennemis*, *Les Derniers*, il critique vivement le monde bourgeois et évoque les luttes ouvrières.

⮕ Luigi Pirandello (1867-1936)

Pirandello est un écrivain italien, qui renouvela considérablement le théâtre du XXe siècle. De son théâtre étrange et tourmenté, on retiendra sa trilogie : *Six personnages en quête d'auteur*, *Comme ci ou comme ça* et *Ce soir on improvise*.

DES TRADUCTEURS CÉLÈBRES

Pierre Loti (1850–1923)

Loti est un officier de marine français qui parcourut le monde. Son œuvre littéraire révéle à toute une génération l'exotisme des terres lointaines. Il traduit en français la pièce de Shakespeare, *Le Roi Lear*.

Maurice Maeterlinck (1862–1949)

Maeterlinck est un écrivain belge de langue française. Il commence par des recueils de poésie, puis il écrit pour le théâtre : *La Princesse Maleine*, *Pelléas et Mélisande*, *Monna Vanna* et *L'Oiseau bleu*. Il traduit en français *Macbeth* de Shakespeare qui est joué en 1909. Il reçoit le prix Nobel de littérature en 1911.

André Gide (1869–1951)

Gide est un auteur français. Son premier roman, *Les Nourritures terrestres*, paraît en 1897 et l'installe dans le monde des lettres. L'ensemble de son œuvre est couronné par le prix Nobel de littérature en 1947. André Gide est très lié à Copeau, et écrit pour le théâtre *Saül* et *Le Roi Candaule* monté par Lugné-Poe en 1901. Il a aussi traduit *Hamlet* de Shakespeare.

Pierre-Jean Jouve (1887–1976)

Jouve écrit de nombreux romans dans les années 20 : *Paulina 1880*, *Aventure de Catherine*, *Crachat*, et des recueils de poésie. Il traduit en français *Roméo et Juliette* de Shakespeare.

relation avec le parti communiste de Moscou. Le groupe Octobre donne des représentations dans les usines et les magasins. Sur des textes de Prévert, il appelle à se mobiliser contre le fascisme et n'hésite pas à soutenir les grévistes.

Un succès mitigé

Ces tentatives généreuses sont sans lendemain, car le peuple préfère s'amuser chez les chansonniers et écouter les opérettes, ou suivre les matchs de boxe ! De leur côté, les bourgeois ne vont pas au théâtre pour se poser des questions. Ils préfèrent se divertir en écoutant du théâtre de boulevard, qui dans le même esprit que Feydeau, se perpétue avec Sacha Guitry.

Le théâtre de l'Épouvante

Certains spectateurs regrettent l'ambiance du boulevard du Crime. Pour tenter d'attirer ce public, André de Lorde inaugure en avril 1897 un petit

théâtre du crime : Le Grand-Guignol. Toutes les scènes d'horreur sont permises. Sur scène, on assomme, on étrangle, on coupe en morceaux un témoin gênant ! Six ou sept pièces sont données à la suite dans une même soirée, les pièces gaies alternent avec des intrigues sanguinolentes et une séance peut durer quatre heures et demie !

Le théâtre du Grand-Guignol est situé rue Chaptal, près de Montmartre. C'est l'ancienne chapelle d'un couvent détruit par la Révolution.

Le règne des effets spéciaux

Tout est organisé pour jouer avec les nerfs des spectateurs avides de sensations fortes. Le théâtre exploite les innovations de ce début du XXe siècle. Dans une ambiance feutrée et sombre, les effets spéciaux vont permettre de créer une atmosphère angoissante. Le vent hurle, les murs craquent et le ululement sinistre d'une chouette ou la sonnerie stridente du téléphone retentissent. On n'hésite pas à faire couler le sang à flots. Tous ces effets se retrouveront au cinéma dans les films d'Hitchcock, le maître du suspense.

La concurrence du cinéma

En 1931, le film *Frankenstein* sort sur les écrans de cinéma. Il sonne la fin du théâtre du Grand-Guignol, qui tente de survivre mais ferme définitivement ses portes dans les années 50. Le théâtre n'a pas pu rivaliser avec les effets spéciaux du grand écran. Les films sont plus impressionnants que les représentations théâtrales, la scène semble étriquée et les effets limités.

Quand le cinéma fait vivre le théâtre

Le cinéma concurrence le théâtre, mais il le fait aussi vivre indirectement ! Et oui, de nombreux acteurs acceptent de jouer dans des films. Le cinéma paie bien et permet de se faire connaître. Ils peuvent ensuite revenir à leur première passion, et le public se presse pour voir sur les planches les acteurs qu'il a découverts et appréciés à l'écran.

La radio vient au secours du théâtre

Un programme d'aides est lancé par Jean Zay, alors ministre de l'Éducation Nationale, pour soutenir le théâtre, le cinéma, les musées. La radio va aussi permettre à de nouveaux spectacles de voir le jour. En effet, les acteurs prêtent souvent leurs voix sur les ondes, et lisent des textes de théâtre pour le plaisir des auditeurs. La radio vit en diffusant ces textes, et doit verser des droits à ceux qui rendent son succès possible. Cet argent permet de financer de nouveaux spectacles.

De nouveaux lieux

En province, des troupes se forment et ne se découragent pas même si le succès n'est pas au rendez-vous : *Le Rideau gris* s'installe à Marseille jusqu'en

Louis Jouvet.

1943, et *La Compagnie de la roulotte*, à Bordeaux jusqu'en 1942. Malheureusement, la Seconde Guerre mondiale, qui éclate en 1939, fait s'éteindre peu à peu tous ces projets prometteurs.

Les théâtres sous contrôle

Les théâtres parisiens restent ouverts, mais sous le contrôle des Allemands. En effet, il n'est pas question de jouer n'importe quelle pièce. Les directeurs des salles doivent obéir aux exigences des occupants, qui ont dressé la liste noire de toutes les œuvres interdites. La loi contre les Juifs s'applique aussi au monde du théâtre : si l'on est juif, pas question d'être auteur, metteur en scène, acteur ni même spectateur. Le théâtre Sarah-Bernhardt perd son appellation et devient le théâtre de la Cité, car il ne peut porter le nom d'une actrice, qui était certes célèbre, mais juive.

Divertir et résister

Malgré les interdits et les brimades, beaucoup de gens résistent : on joue des auteurs engagés contre la guerre et la barbarie nazie. Le théâtre devient un lieu où l'on s'oppose à l'occupant, où l'on fait l'éloge de la résistance et où l'on dénonce la dictature. La guerre n'a pas réussi à tuer le théâtre.

On monte des œuvres de Paul Claudel, Jean Anouilh, Jean-Paul Sartre et Albert Camus.

DES AUTEURS ENGAGÉS

➜ Paul Claudel (1868-1955)

Claudel fut consul puis d'ambassadeur de France au Japon, aux États-Unis, en Belgique. La richesse de son théâtre vient sans doute de son contact avec d'autres cultures. Il fut peu joué de son vivant, mais des metteurs en scène contemporains (Jean Vilar, Patrice Chéreau, Antoine Vitez) ont montré toute la force et le génie de ses pièces : *Tête d'Or*, *L'Échange*, *Partage de midi*, *L'Annonce faite à Marie*, *le Soulier de satin*.

➜ Jean Anouilh (1910-1987)

Anouilh, auteur dramatique, connut rapidement le succès avec ses pièces qui vont de la fantaisie à la satire, en passant par le pessimisme. Citons : *Le bal des voleurs*, *L'Alouette*, *Le Voyageur sans bagages*, *Antigone*.

➜ Jean-Paul Sartre (1905-1980)

Sartre est écrivain et philosophe. Son théâtre est une réflexion sur la liberté et le rapport aux autres. Ses pièces les plus connues sont : *Huis-Clos*, *Les Mouches*, *Les Séquestrés d'Altona*, *Les Mains sales*, *Le Diable et le Bon Dieu*.

➜ Albert Camus (1913-1960)

Camus est à la fois écrivain et journaliste. Son goût pour la scène lui fait d'abord adapter pour le théâtre de nombreux textes, puis il écrit ses propres pièces : *Caligula*, *L'État de siège*, *Le Malentendu*, *Les Justes*. C'est un théâtre engagé dans lequel il dénonce la dictature et la folie de la guerre. Il fut couronné par le Prix Nobel de Littérature en 1957.

L'APPEL DU THÉÂTRE
DU VIEUX-COLOMBIER

▌ **à la jeunesse,**
pour réagir contre toutes les lâchetés du théâtre mercantile et pour défendre
les plus libres, les plus sincères manifestations d'un art dramatique nouveau ;

▌ **au public lettré,**
pour entretenir le culte des chefs-d'oeuvre classiques, français et étrangers,
qui formeront la base de son répertoire ;

▌ **à tous,**
pour soutenir une entreprise qui s'imposera par le bon marché de ses spectacles.

La salle du Vieux-Colombier, au début du xxᵉ siècle. Bibliothèque de l'Arsenal, Paris.

10

TOUT EST PERMIS

Le théâtre en France depuis les années 50

Dans le noir...

Après la Seconde Guerre mondiale, les loisirs se multiplient et la modernité permet des divertissements de plus en plus variés. Confronté à une concurrence de plus en plus grande, le théâtre doit s'adapter.

Désormais on éteint le lustre central durant la représentation, les spectateurs retrouvent l'obscurité des salles de cinéma. Trois coups tapés contre le plancher annoncent le début de la pièce, le silence s'installe et la lumière s'éteint. Seule la scène reste éclairée.

Fellini est le premier à utiliser, en 1949, les projecteurs de cinéma. Leur lumière vive permet de donner plus de profondeur à la scène, et de mettre en valeur les acteurs.

... et le silence

Le théâtre n'est plus le lieu de tous les débordements. Plus question de crier, de commenter ce qu'il voit, le spectateur doit se taire ! S'il est satisfait, il applaudit. À ces nouvelles règles s'ajoute la ponctualité : le spectateur doit être à l'heure. S'il arrive après le lever de rideau, il doit rester debout dans l'allée et ne gagner sa place qu'à la fin de la scène ! Le théâtre perd en liberté mais gagne en solennité, il devient un lieu à part où un véritable cérémonial s'installe entre la salle et les acteurs.

Une semaine théâtrale

Désormais, on se rend au théâtre en soirée, surtout le samedi, après sa semaine de travail. Le théâtre est loin de ses origines grecques. Jean Vilar souhaite retrouver l'enthousiasme de la foule, la fièvre des grands rassemblements à date fixe et en plein air. Il met au point une semaine théâtrale, à Avignon, grâce à une importante subvention de l'État.

Jean Vilar (1912-1971) est un homme de théâtre, il a consacré sa vie à rendre le théâtre accessible à tous.

Naissance d'un festival

En septembre 1947, une scène est installée dans la cour du Palais des Papes, et on y joue des œuvres de Paul Claudel et de Shakespeare. On compte à peu près 430 spectateurs par soirée, sur 1 500 places disponibles, ce qui n'est pas si mal pour une première ! Cette expérience connaît un immense

Jeu d'acteurs sur la Place du Palais, au Festival d'Avignon.

Ce festival existe toujours et rassemble, pendant les mois de juillet et d'août, une foule importante et passionnée de théâtre. En 2001, 110 000 entrées ont été enregistrées.

retentissement chez tous les gens de théâtre : le festival d'Avignon est né !

L'époque des festivals

Jean Vilar a lancé une mode. À leur tour, de nombreuses villes créent un rendez-vous annuel autour du théâtre. Ces réunions se déroulent durant les mois d'été, moments privilégiés entre tous ! Des acteurs célèbres ou inconnus, des metteurs en scène, des jeunes troupes à la recherche d'un contrat, des journalistes et de simples curieux se rencontrent, animés d'une passion commune. Ce sont plusieurs jours consacrés uniquement au spectacle, loin de la vie quotidienne et de ses soucis, un peu comme à Athènes au Ve siècle av J.-C....

Théâtre du monde entier

Certains festivals français se font connaître à l'étranger et attirent bientôt un public européen, voire américain. Chacun échange ses expériences, enrichit ses pratiques. Le théâtre n'a plus de frontières : des pièces françaises sont jouées au Japon, et Paris accueille des troupes venues d'Afrique ou d'Asie. L'heure est à la découverte et au mélange des cultures.

Le Théâtre national populaire

Après le succès du festival d'Avignon, Jean Vilar se voit confier de nouvelles responsabilités. En 1951, il est nommé à la tête du Théâtre national populaire de Chaillot (TNP). Il se fixe comme objectif de renouveler le public, et décide de mettre en vente des places à prix « populaire ». C'est un succès immédiat ! Pour permettre à ceux qui travaillent tôt le matin de sortir quand même le soir, il fixe la séance à 20h15 et propose de petits repas à prendre sur place. « Le théâtre est un service public comme l'eau, le gaz et l'électricité », affirme-t-il.

Jean Vilar fait baisser les prix grâce à une formule d'abonnements. Chaque abonné reçoit un petit journal qui l'informe sur les spectacles à venir et lui permet d'assister à des représentations à tarif réduit avec un système de coupons.

Pari gagné : les spectateurs apprécient cette nouvelle formule et sont enchantés de découvrir sur scène de grands acteurs, tel Gérard Philipe.

Une concurrence sévère

Malgré de nombreuses initiatives semblables à celles de Jean Vilar et en dépit du dynamisme de la création (1 300 œuvres en 1987, contre 200 en 1970), le public de théâtre reste peu nombreux. La télévision, la radio et les concerts le concurrencent en attirant des foules.

L'indispensable publicité

De nombreux centres dramatiques ouvrent leurs portes en province : à Colmar (1946), à Saint Etienne (1947), à Rennes (1949), à Toulouse (1949), à Aix-en-Provence (1952)...

Pour faire venir les gens au théâtre, il faut les informer de toutes les manières possibles. Les acteurs passent à la télévision, se font inviter à des émissions de radio pour « vendre » leur spectacle. Les comédiens posent dans des magazines, répondent à des interviews, participent à des manifestations : plus leur visage est connu, plus les entrées augmentent.

Partout des affiches

Chaque affiche est tirée à environ 5000 exemplaires (ce qui représente 20% du budget publicitaire d'un théâtre).

Les colonnes Morris ne suffisent plus, les affiches envahissent les couloirs du métro, les flancs des autobus ou les murs des bibliothèques. Grâce à des montages photographiques et à des jeux de couleurs, les affiches sont de plus en plus attrayantes ou amusantes.

LE THÉÂTRE FILMÉ

Le théâtre filmé se développe rapidement, ce qui permet de diffuser plus facilement les richesses de la littérature : c'est aussi un outil pédagogique pour les professeurs qui ne peuvent pas toujours emmener leurs élèves au théâtre.

L'acteur Michel Galabru (né en 1922) s'est plu à mettre son talent au service des œuvres classiques. Il participe, entre 1980 et 1981, à des adaptations filmées des *Fourberies de Scapin* et du *Bourgeois Gentilhomme*. Il a joué avec Louis de Funès une adaptation cinématographique de *L'Avare* (1979) qui rencontre toujours beaucoup de succès.

DEUX AUTEURS INCLASSABLES

➡ Eugène Ionesco (1912–1994)

Ionesco (né d'un père roumain et d'une mère française) eut un rôle primordial dans l'évolution du théâtre contemporain. L'écriture théâtrale est profondément bouleversée par ses créations : *La Cantatrice chauve, La Leçon, Les Chaises, Rhinocéros, Le Roi se meurt*.

➡ Samuel Beckett (1906–1989)

Beckett est irlandais, mais son attachement à la langue française le fait écrire en français. Son œuvre est récompensée par le prix Nobel de littérature en 1969. Ses pièces, *En attendant Godot, Fin de partie, Oh les beaux jours,* l'imposent comme un maître du théâtre contemporain.

Samuel Beckett.

LA CANTATRICE CHAUVE
Eugène Ionesco – 1950
Pièce en un acte (extrait)

M. Smith, *toujours dans son journal* - Tiens, c'est écrit que Bobby Watson est mort.

Mme Smith - Mon Dieu, le pauvre, quand est-ce qu'il est mort ?

M. Smith - Pourquoi prends-tu cet air étonné ? Tu le savais bien. Il est mort il y a deux ans. Tu te rappelles, on a été à son enterrement, il y a un an et demi.

Mme Smith - Bien sûr que je me rappelle. Je me suis rappelé tout de suite, mais je ne comprends pas pourquoi toi-même tu as été si étonné de voir ça sur le journal.

M. Smith - Ca n'y est pas sur le journal. Il y a déjà trois ans qu'on a parlé de son décès. Je m'en suis souvenu par une association d'idées !

Mme Smith - Dommage ! Il était bien conservé.

M. Smith - C'était le plus joli cadavre de Grande-Bretagne ! Il ne paraissait pas son âge. Pauvre Bobby, il y avait quatre ans qu'il était mort et il était encore chaud. Un véritable cadavre vivant. Et comme il était gai !

Mme Smith - La pauvre Bobby.

M. Smith - Tu veux dire « le » pauvre Bobby.

Mme Smith - Non, c'est à sa femme que je pense. Elle s'appelait comme lui, Bobby, Bobby Watson. Comme ils avaient le même nom, on ne pouvait pas les distinguer quand on les voyait ensemble. Ce n'est qu'après sa mort à lui, qu'on a pu vraiment savoir qui était l'un et qui était l'autre.

EN ATTENDANT GODOT
Samuel Beckett – 1952
(extrait)

Deux hommes aux allures de clochards attendent Godot qui ne viendra jamais.

Estragon - Qu'est-ce que tu as ?

Vladimir - Je n'ai rien.

Estragon - Moi je m'en vais.

Vladimir - Moi aussi.

Silence

Estragon - Il y avait longtemps que je dormais ?

Vladimir - Je ne sais pas.

Silence

Estragon - Où irons-nous?

Vladimir - Pas loin

Estragon - Si si, allons-nous-en loin d'ici !

Vladimir - On ne peut pas.

Estragon - Pourquoi ?

Vladimir - Il faut revenir demain.

Estragon - Pour quoi faire ?

Vladimir - Attendre Godot.

Estragon - C'est vrai. *(Un temps.)* Il n'est pas venu ?

Vladimir - Non.

Le théâtre de l'absurde

Loin des feux de la rampe, le théâtre de la seconde moitié du XXᵉ siècle est marqué par deux auteurs inclassables : Eugène Ionesco et Samuel Beckett. Leurs pièces dénoncent dans un langage dépouillé la société de consommation et l'absurdité de la vie. Leurs personnages sont sans identité réelle : ils portent des noms communs ou sont identifiés par des initiales. C'est le destin de chaque être humain qui se joue sur les planches. Malgré la note désespérée qui traverse leur univers, le rire est au rendez-vous, car les auteurs se moquent de l'homme moderne et de ses habitudes.

Michel Bouquet et une comédienne dans **Le roi se meurt** *d'Eugène Ionesco.*

DES ARTISTES COMPLETS

➡ Jean Cocteau (1889–1963)

Cocteau apparaît comme un artiste complet, il s'illustre dans de nombreux domaines : cinéma, poésie, roman, théâtre et dessin. Il est fortement influencé par la culture grecque : *La Machine infernale* (le mythe d'Œdipe), *Antigone*, *Orphée*, *Les Mariés de la Tour Eiffel*, *Les Monstres sacrés*, *L'Aigle à deux têtes*.

➡ Antonin Artaud (1896–1948)

Artaud est à la fois poète, homme de théâtre et acteur de cinéma. Il a beaucoup écrit sur le théâtre. Dans *Le Théâtre et son double*, il défend le théâtre total qui doit provoquer de fortes émotions chez le spectateur.

DEUX ROMANCIÈRES AU THÉÂTRE

➡ Marguerite Duras (1914–1996)

Duras est surtout connue pour ses romans (*Un Barrage contre le Pacifique*, *L'Amant*), elle s'impose dans le monde du théâtre avec plusieurs pièces : *Des journées entières dans les arbres*, *L'Amante anglaise*, *La maladie de la Mort*...

➡ Nathalie Sarraute (1902–1999)

Sarraute chercha à rénover le roman, à modifier les règles et les conventions. Dramaturge reconnue, un bel hommage lui fut rendu en 1986 au festival d'Avignon. Ses pièces : *Le Silence*, *Le mensonge*, *C'est beau*, *Pour un oui pour un non*.

Faire naître l'émotion

Jean Vilar cherche, avec le festival d'Avignon, à recréer l'ambiance du grand rassemblement annuel qui était courant dans l'Antiquité. Certains auteurs s'intéressent plutôt aux tragédies grecques et aux émotions qu'elles font naître chez le spectateur. Ainsi Jean Cocteau emprunte-t-il à certains mythes grecs, comme Orphée ou Œdipe, tandis qu'Antonin Artaud vante le théâtre total. Il souhaite que les auteurs retrouvent la violence et le tourbillon de la fête antique. Sa théorie influence de nombreux metteurs en scène, c'en est fini du théâtre de boulevard et de son univers petit-bourgeois.

Les femmes écrivent

Pendant des siècles, les femmes ont été exclues du monde du théâtre. Désormais, elles y font leur entrée en tant qu'actrices. À partir des années 50, elles deviennent aussi dramaturges, elles montent des pièces originales et trouvent enfin leur place dans cet univers masculin. Deux d'entre d'elles, Marguerite Duras et Nathalie Sarraute, marquent cette période, et leurs pièces sont encore jouées avec intérêt et succès.

Des prix pour couronner le talent

Pour encourager les jeunes espoirs ou les acteurs confirmés, de nombreux prix sont créés :

- 1948 : le prix du Jeune Comédien.
- 1953 : le prix Dominique qui récompense un metteur en scène.
- 1953 : le prix de la Critique.
- 1969 : le Grand Prix national du théâtre (doté de 20 000 francs). Parmi quelques personnalités récompensées : Eugène Ionesco (1969), Madeleine Renaud (1972), Jean-Louis Barrault (1974), Samuel Beckett (1975), Jean Anouilh (1981), Ariane Mnouchkine (1985), Antoine Vitez (1987), Maria Casarès (1990).
- 1980 : le Grand Prix du théâtre (doté de 50 000 francs) attribué par l'Académie française. Ont été récompensés : Jean Anouilh (1980), Marguerite Duras (1983), René de Obaldia (1985), Raymond Devos (1986), François Billetdoux (1989).
- 1985 : les Molières sont instaurés. La cérémonie est retransmise à la télévision sur le modèle des Césars pour le cinéma.

Tout est possible

Le théâtre contemporain s'autorise tous les sujets. On y évoque aussi bien les événements politiques (la guerre, l'Algérie) ou les problèmes de société (avortement, homosexualité, peine de mort). Il n'y a plus ni tabou ni censure.

Soit 3 048 euros.

Soit 7 622 euros.

Jean Genet (1910-1986) s'est illustré dans ce combat. Figure inclassable et fascinante, le « voyou » de la littérature contemporaine n'hésite pas à évoquer des sujets gênants comme la prison, l'homosexualité… Son théâtre est d'une grande force : *Les Bonnes*, *Le Balcon*, *Les Nègres*, *Les Paravents* (pièce interdite pendant longtemps à cause de son sujet : la guerre d'Algérie).

LES SPECTACLES DE ROBERT HOSSEIN

Les spectacles de Robert Hossein (né en 1927) sont des grandes productions de masse qui rassemblent un très grand nombre de spectateurs.

➔ Mettre en scène l'Histoire

Robert Hossein s'intéresse à des personnages qui ont marqué l'Histoire et il travaille en collaboration avec l'historien et académicien Alain Decaux (né en 1925) : *Danton et Robespierre* (1979), *Un homme nommé Jésus* (1983), *Jules César* (1985) et récemment De Gaulle et Jean Moulin dans *Celui qui a dit non* (1999).

Il met également en scène des moments importants de l'histoire de France : *L'Affaire du Courrier de Lyon* (1987), *La Liberté ou la Mort* (1988) et *Je m'appelais Marie-Antoinette* (1993), ces deux derniers spectacles ayant pour thème la Révolution française.

➔ Un succès populaire

En 1989, il est choisi par TF1 comme organisateur de plusieurs spectacles télévisés devant célébrer le bicentenaire de la Révolution. Ces spectacles sont d'énormes productions qui rassemblent une centaine de comédiens et attirent entre 200 000 et 800 000 spectateurs (*Jésus était son nom, 1991*). Ce succès populaire lui fait dire « Du théâtre comme vous n'en avez jamais vu qu'au cinéma. »

LE THÉÂTRE DU SOLEIL
L'expérience d'Ariane Mnouchkine

En 1964, la troupe du Soleil est fondée sur le modèle d'une coopérative ouvrière. Sous la direction d'Ariane Mnouchkine, cinquante personnes travaillent, vivent ensemble, partageant tout, et gagnant le même salaire.

La troupe organise de grands spectacles fraternels comme *1789* (1970-71), *l'Âge d'or* (1969-75), qui s'est inspiré de la *commedia dell'arte*, et aussi des spectacles créés à partir des pièces de Shakespeare ou d'Eschyle. Un très gros travail est effectué pour la réalisation des costumes, des décors, des maquillages et aussi de la musique.

Ariane Mnouchkine a également écrit et mis en scène, avec sa troupe, un extraordinaire film sur la vie de Molière, *Molière ou la vie d'un honnête homme* (1978).

L'expérience d'Ariane Mnouchkine est originale, et reste pratiquement unique jusqu'à ce jour.

Ariane Mnouchkine dans la loge des comédiens.

JEUX

1. Le théâtre au Moyen Âge

As-tu bien lu le chapitre 3 ? Alors relie chaque mot à sa définition.

Troubadour	**1**	**A**	Il raconte un passage de l'histoire sainte.
Jongleur	**2**	**B**	Place située devant la façade d'une église.
Sotie	**3**	**C**	Première troupe d'acteurs du Moyen Âge.
Farce	**4**	**D**	Comédien ambulant.
Saltimbanque	**5**	**E**	Petite scène comique avec peu de personnages.
Mansions	**6**	**F**	Il récite de longs poèmes d'amour.
Moralité	**7**	**G**	Élément du décor qui représente chaque lieu sous forme de maison.
Les Confrères de la Passion	**8**	**H**	Elle est jouée par des acteurs habillés en fous (jaune et vert).
Miracle	**9**	**I**	Elle fait rire.
Parvis	**10**	**J**	Il amuse par ses acrobaties.
Saynète	**11**	**K**	Il évoque l'intervention miraculeuse d'un saint.
Mystère	**12**	**L**	Elle met en scène des qualités ou des défauts.

2. Mots mêlés

Après avoir relu le chapitre 4, retrouve les 13 mots emmêlés dans cette grille qui illustrent l'univers du théâtre italien. Assemble ensuite les 12 lettres restantes pour former le nom d'un célèbre personnage de la *commedia dell'arte*.

Les mots se lisent aussi bien de la gauche vers la droite que de la droite vers la gauche, de bas en haut ou de haut en bas.

C	O	P	A	N	T	A	L	O	N	P
S	C	A	R	A	M	O	U	C	H	E
A	C	O	L	O	M	B	I	N	E	D
V	I	L	E	S	C	A	P	I	N	A
E	E	U	Q	I	L	P	E	R	H	R
N	T	N	U	A	E	T	E	R	T	I
A	R	P	I	E	R	R	O	T	E	T
C	A	E	N	L	G	I	F	L	E	I
L	A	C	R	O	B	A	T	I	E	S

JEUX ?

3. Connais-tu Molière ?

1 Molière est né en
a. 1622
b. 1672
c. 1592

2 Molière a eu envie de faire du théâtre en voyant
a. Les bateliers de la Seine
b. Les bateleurs du Pont-Neuf
c. Les jongleurs de Beaubourg

3 Son père exerçait la noble profession de
a. tapissier du roi
b. décorateur de la reine
c. tisserand du royaume

4 Il rejoint Armande Béjart et crée sa première troupe
a. Le petit théâtre
b. Les nouvelles marionnettes
c. L'Illustre théâtre

5 Le roi aime ce que fait Molière, il s'agit de
a. Louis XV
b. Richelieu
c. Louis XIV

6 Pour satisfaire le roi, Molière introduit des ballets écrits par
a. Sully
b. Lully
c. Marly

7 Molière n'a pas écrit
a. *Le Barbier de Séville*
b. *Le Médecin malgré lui*
c. *Les femmes savantes*

8 Il meurt quelques heures après la représentation d'une de ses pièces
a. *Les fourberies de Scapin*
b. *L'École des femmes*
c. *Le Malade imaginaire*

4. Définitions mystère

Retrouve les métiers du théâtre dont on parle dans le chapitre 8.

● J'actionne toutes sortes de leviers pour créer des effets spéciaux, je suis un spécialiste des tempêtes, des châteaux hantés...

Je suis ....

● Je plonge la salle dans le noir, je fais surgir des éclairs, ou bien je crée une ambiance romantique pour des retrouvailles.

Je suis ....

● C'est moi qui choisis les tissus d'ameublement, le mobilier, les rideaux et les bibelots pour créer un salon bourgeois, une chambre à coucher, une salle de château, parfois même je dois penser un jardin.

Je suis ....

● Je supervise toute la troupe. Je dirige les acteurs et conseille les autres. J'assure la cohésion et la bonne entente au sein de mon équipe pour la réussite du spectacle.

Je suis ....

● Je couds, j'arrange la robe à la dernière minute. Je fais du sur mesure, j'essaie de coller le plus possible au physique du personnage joué par l'acteur.

Je suis ....

● J'applaudis pour encourager la troupe, mon enthousiasme doit se communiquer à la salle entière.

Je suis ....

4/DÉFINITIONS MYSTÈRE 1-Le machiniste ; 2- L'éclairagiste ; 3-Le décorateur ; 4-Metteur en scène ; 5-La costumière ; 6-La claque.

3/CONNAIS-TU MOLIÈRE ? 1-a ; 2-b ; 3-a ; 4-c ; 5-c ; 6-b ; 7-a ; 8-c

INDEX

Magali Wiéner, l'auteur, est née en 1973 à Paris. Elle a obtenu en 1996 l'agrégation de Lettres Classiques et enseigne aujourd'hui au collège. Elle partage avec ses élèves et ses proches son goût de la littérature et va au théâtre le plus souvent possible. Écrire est pour elle une vraie passion, un art de vivre. Elle publie chez Retz et commente des œuvres chez Gallimard et en GF. Au Père Castor, elle a déjà publié dans la collection « Castor Doc » :
La poésie à travers les âges
Les jeux Olympiques.

© crédits photographiques

Imprimé en France par Pollina s.a., 85400 Luçon – 07-2004 – N° d'impression : L 94123
Dépôt légal : septembre 2003 – Éditions Flammarion (N°1681).
Loi n° 49-956 du 16 juillet 1949 sur les publications destinées à la jeunesse